ТАЙНЫ
ПОДСОЗНАНИЯ

ВАЛЕРИЙ СИНЕЛЬНИКОВ

СИЛА
НАМЕРЕНИЯ

Москва
ЦЕНТРПОЛИГРАФ
2003

ББК 88.3
С38

Оформление художника И. Озерова

Рисунки А. Российцева

Синельников В.В.

С38   Сила Намерения. — М.: ЗАО Изд-во Центрполиграф, 2003. — 143 с. — (Тайны подсознания).

ISBN 5-227-01929-0

Автор знакомит читателей с искусством создания и управления Намерением. Овладев им, можно изменить свой мир, оградить себя от порчи и сглаза, научиться выстраивать события по своему усмотрению, жить полной и яркой жизнью.

ББК 88.3

ISBN 5-227-01929-0

СИЛА НАМЕРЕНИЯ

ПОСВЯЩЕНИЕ

Эту книгу я посвящаю моим любимым сыновьям: Дмитрию и Светозару. У меня есть прекрасное Намерение — видеть вас здоровыми, сильными и преуспевающими во всех сферах жизни людьми.

БЛАГОДАРНОСТИ

Как всегда, я глубоко признателен моим многочисленным пациентам. Именно они предоставили мне обширный материал для книги. Благодаря им и вместе с ними я менялся сам.

Хочу выразить особую благодарность Анатолию Олейникову за техническое обеспечение и подготовку книги к печати.

Предисловие

Уважаемый читатель! Несколько лет назад, вступив на путь врачевания, я начал увлекательнейшее путешествие по бескрайним просторам человеческой психики, сознательного и бессознательного разума. Я неоднократно задавал себе вопросы: «Как и для чего люди создают себе болезни и проблемы? Как помочь людям изменить свою жизнь? И как сделать жизнь человека здоровой, сильной и счастливой?»

С каждым шагом на этом пути передо мной возникали разные преграды и открывались несметные сокровища. Постепенно я постигал законы, по которым развивается этот мир. Я понял, что люди даже не подозревают о том, какой колоссальной силой и энергией они обладают. И большей частью они тратят эту энергию на создание в своей жизни боли и страдания.

Долгие годы я изучал здоровье и болезнь. И в процессе работы с людьми создал новую модель медицины, которая объединяет в себе все существующие методы лечения. Об этом я написал в своей первой книге «Возлюби болезнь свою». Потом я понял, что эту модель можно использовать не только для улучшения своего здоровья, но и для гармонизации таких сфер жизни, как отношения, работа, деньги.

Мои утверждения не голословны. Эффективность этой модели проверена временем. Каждый из вас сможет овладеть ею и решить многие проблемы в личной жизни. Единственное, что от вас требуется, — это быть готовым к переменам. И если вы хотите что-то изменить в своей жизни, то после прочтения этой книги перемены начнут происходить.

В этой книге я раскрываю структуру магии Намерения. Но пусть вас не пугает это слово. Я не собираюсь *делать* из вас магов и волшебников, потому что вы уже таковыми являетесь, только не подозреваете об этом. И вы держите в руках не руководство по черной или белой магии. Эта книга о законах, на которых основано любое волшебство. Эта книга о силе мысли и Намерения. Овладев этими, когда-то тайными, знаниями, вы сможете сделать свою модель мира действительно интересной и начнете действовать в жизни очень эффективно.

Как работать с книгой

Каждая глава этой книги создана и записана таким образом, чтобы воздействовать на глубинные, более здоровые и гармоничные уровни сознания и побуждать человека к действию. Помощь от прочтения этой книги несомненна. Вы сможете ее увидеть и прочувствовать. Это мое утверждение может показаться вам нескромным, но так говорят читатели моих книг. У многих из них после прочтения улучшалось физическое и психическое самочувствие, исчезали давние боли, происходили благоприятные изменения в личной жизни.

Пользуйтесь моей книгой как инструкцией к созданию и реализации вашей заветной мечты, ваших жизненных намерений. Вооружитесь ручкой, листком бумаги и конечно же выдержкой. И, как любую инструкцию, читайте книгу и перечитывайте столько раз, сколько нужно для полного усвоения информации. Одновременно пробуйте и проверяйте все на практике.

В книге много практических упражнений. Мой совет: прежде чем перейти к следующей главе, проделайте эти упражнения. Не спешите! Все, что вам нужно, вы обязательно получите.

Это похоже на управление автомобилем. Сначала вы учите правила, знаки, устройство. То есть теорию. Затем садитесь за руль автомобиля и закрепляете новые знания на практике. Хорошо, если рядом будет опытный инструктор, — так вы сделаете меньше ошибок. Очевидно, что чем больше вы будете практиковаться, тем лучше и быстрее освоите вождение. Вы даже можете через некоторое время стать профессионалом и обучать других людей. И у вас появится свой стиль.

Я хочу, чтобы моя книга на некоторое время стала для вас своеобразной инструкцией на вашей дороге жизни или, если хотите, путеводителем по бескрайним просторам Вселенной. Может быть, моя книга поможет вам отыскать тот уникальный жизненный путь, который будет приносить вам радость. Дай бог!

Могу вас заверить в том, что если вы примените все то, что описано здесь, на практике, то ваша жизнь изменится в лучшую сторону.

Успехов вам!

Великий Алхимик

Христиан шел по длинным, сырым и мрачным коридорам подземелья. Его сопровождали спереди и сзади два человека в монашеском одеянии. Мерцающий свет факелов порождал на стенах причудливые тени. Звуки шагов гулко отдавались в ушах. Казалось, чем тише он старается ступать по каменным плитам, тем громче слышатся его шаги.

Странно, но Христиан не испытывал страха. Главным его чувством сейчас было любопытство. Где он? Куда ведут его эти люди? Сегодня утром они подошли к нему на рынке и сказали:

— Великий Магистр ждет тебя!

Христиан хотел было задать вопрос, но один монах, который выглядел старше, показал жестом, что лучше молчать.

— Следуй за нами, — сказал он.

Они долго водили его по улицам города, явно стараясь запутать. А может быть, проверяли, не следит ли кто за ними. В конце концов они подо-

9

шли к какому-то старому зданию и завязали Христиану глаза. Он не сопротивлялся и не пытался убежать. Внутри его царило спокойствие. А Христиан доверял своей интуиции.

Он сразу оставил попытки что-то разглядеть из-под повязки, так как она плотно прикрывала глаза. Он только мог слышать, как сдвинулось с места что-то массивное, как будто открылись тяжелые дубовые двери. Но он четко знал, что в стене не было никаких дверей. Скорее всего, это открылся потайной ход. Один монах встал спереди, а другой, который находился сзади, осторожно подтолкнул его вперед, давая понять, что нужно идти. Сделав несколько шагов, Христиан почувствовал, как в лицо пахнуло холодной сыростью подземелья. Сзади послышался все тот же странный звук. «Закрыли вход», — догадался Христиан.

Повязку сняли, но в темноте невозможно было ничего разглядеть. Первый монах высек огнивом искру и зажег два факела. Один он оставил себе, а другой передал своему напарнику. Началось шествие по коридорам подземелья. Шли долго. И у Христиана было время подумать. Он задавал себе вопрос: «Что привело его сюда?» То, что это не были люди инквизиции, он был уверен. Но тогда чем он заинтересовал этих людей? Христиан не успел еще нажить врагов. И тайн он не знал никаких. Он исправно учился в университете и мечтал стать хорошим врачом.

Единственное, что могло стать причиной, — это вчерашнее происшествие в лавке мясника. Христиан никак не мог подумать, что это событие станет поворотным в его жизни.

В тот день все складывалось удачно. После занятий в университете он, как обычно, направился в лавку мясника. Но не для того, чтобы купить мяса. Его стипендия не позволяла ему этого. А тот небольшой заработок, который он получал от переводов с латыни, он тратил на приобретение книг.

Дела сердечные влекли его сюда. У мясника была прекрасная дочь — Патриция. И вот уже целую неделю он каждый день после занятий захаживал в мясную лавку.

— Молодой человек, — окликнул его хозяин лавки, когда Христиан зашел внутрь. — Долго вы собираетесь ходить сюда? Я же еще вчера четко и понятно сказал вам, что вы — неподходящая партия для моей дочери. Она предназначена другому. Я уже нашел для нее зажиточного жениха. У него, в отличие от вас, есть кое-что в кошельке.

— Но я стану великим врачом и буду богат, — ответил Христиан.

— Вот когда станете, тогда и приходите, — сказал мясник тоном не терпящим возражений.

Христиан вышел на улицу. Было обидно до слез. Почему Бог не дал ему богатства? Будь он богат, мясник бы разговаривал с ним по-другому. Неужели путь к сердцу Патриции лежал только через тугой кошелек? Должен быть какой-то выход, тем более что девушка явно была к нему неравнодушна.

В этот момент в конце улицы послышался какой-то шум. Христиан посмотрел туда и увидел, что впереди бежит мужчина, а за ним гонятся люди из доминиканского ордена. Мужчина был средних лет, но бежал очень резво. В его движениях чувствовалась большая сила. Догнать его было практически невозможно. Но тут с другого конца улицы показалась еще одна группа доминиканцев. Мужчина оказался в ловушке. Деваться ему было некуда.

В этот момент он поравнялся с лавкой мясника и Христиан, не задумываясь о том, что ему самому угрожает опасность, схватил этого человека за рукав его хитона и рванул внутрь лавки. За ту неделю, когда он навещал возлюбленную, он прекрасно изучил расположение лавки и знал,

11

где находится черный ход. Христиан и незнакомец, несмотря на возмущенные крики хозяина, перескочили через прилавки с мясом, пробежали через подсобное помещение и выбежали через запасный ход на другую улицу. С этой стороны было много дворов и можно было легко скрыться от погони. Через соединяющиеся друг с другом лабиринты улиц они выбежали к рыночной площади и слились с массой людей. Все время Христиан бежал впереди, лишь изредка оглядываясь назад, чтобы быть уверенным, что незнакомец успевает за ним. На удивление Христиана, он не только успевал за ним, но и, казалось, давал ему фору.

Как только они врезались в толпу, Христиан тут же потерял незнакомца из виду. Он оглядывался по сторонам, пытаясь найти его, но все его усилия были напрасными. Этот человек так же внезапно исчез, как и появился.

Судя по всему, путешествие Христиана по коридорам подземелья подходило к концу. Впереди показалась дверь. Шедший впереди монах открыл ее, и они вошли в огромный зал. Первый монах жестом пригласил Христиана присесть на большой деревянный стул.

— Подожди здесь, — сказал монах, после чего он вместе со своим спутником подошел к стене и еле заметным движением надавил на кирпич в кладке. Почти бесшумно отворилась потайная дверь, за которой чернел проем. Оба монаха скрылись в нем. Еще через несколько секунд перед Христианом предстала снова ровная и нерушимая стена. Юноша сразу отметил про себя, что все двери в зале были потайными и скрыты от глаз.

Христиан сел на стул и стал более внимательно осматривать зал. В зале было очень мало мебели: посредине стоял большой дубовый стол и несколько стульев. И что его поразило не меньше тайных дверей, так это удивительный запах. В подземелье пахло свежей травой, лесной хвоей и полевыми цветами?! Как это могло быть? Христиан пытался найти какое-то объяснение этому явлению, но не придумал ничего вразумительного.

Другая особенность, на которую юноша сразу обратил внимание, — необычный свет. Большой зал освещался не свечами, а странного вида лампами. Их было несколько, и они излучали очень приятный, мягкий свет. Христиан подошел к одной из них, висевшей на стене. Его заинтересовал не столько внешний вид лампы, сколько ее устройство. Он взял ее в руки и осмотрел со всех сторон. «Интересно, — подумал юноша, — как в этой лампе получается свет? Ведь нет никакого огня».

— Это Вечная Лампа! — услышал Христиан громкий металлический голос за спиной.

От неожиданности он чуть не выронил лампу.

Повернувшись, юноша увидел высокого мужчину в темном плаще. Христиан сразу узнал в нем того самого беглеца, которому вчера помог скрыться от доминиканцев. Только теперь на нем был новый дорогой плащ и выглядел он торжественно и немного величественно.

— Это Вечная Лампа, — снова повторил он. — У нее очень интересный принцип работы.

Христиан хотел задать вопрос о принципе работы лампы, но неожиданно для себя поставил лампу на стол и спросил дерзким, как ему самому показалось, тоном:

— Кто вы и зачем вы привели меня сюда?

— Я — Великий Магистр, — спокойно ответил мужчина. — Так называют меня братья нашего ордена. Орден этот образовался более ста лет назад и является наследником лучших традиций герметического искусства Тамплиеров.

— Вы алхимик? — удивился Христиан.

— Что-то вроде этого, — ответил Магистр. — Хотя не совсем так. Алхимиками нас называют те люди, которые ничего не понимают в этом искусстве. Именно они придумали разные небылицы о нас. Мы же называем себя просто магами или рыцарями Великого Делания.

— Для чего же я вам понадобился? — спросил Христиан.

— Это особый разговор, — сказал Магистр, садясь на стул и приглашая юношу присесть напротив него. — Многое из того, о чем я тебе скажу, будет непонятно для тебя. Но ты просто внимательно послушай.

У тебя, Христиан, великая миссия, — продолжал он. — Наша встреча вчера была не случайной. Ты должен стать одним из рыцарей нашего ордена. Мало того, ты должен повести за собой людей.

После слов Мага у Христиана впервые за весь день появилось в груди чувство волнения. И не столько оттого, что Магистр знал его имя, сколько от предчувствия больших перемен в своей жизни.

— Я слышал, что в ряды подобных орденов принимают только после длительной и строжайшей проверки.

— Да, это так.

— Почему же меня вы принимаете с такой легкостью? Или вы следили за мной? — спросил Христиан с некоторым возмущением в голосе.

— Нет, никто не следил за тобой. Просто на тебя указала Сила. Именно поэтому ты сейчас находишься здесь — в самом священном месте нашего ордена. Именно здесь совершается Великое Делание мага.

— Великое Делание — это получение золота из свинца или ртути?

— Нет, это не так. Точнее, не совсем так. Превращение неблагородных металлов в золото происходит в процессе Великого Делания, но это не самое главное.

— А что же тогда главное?

— Подробности ты узнаешь позже, когда сделаешь свое Великое Делание. А сейчас об этом просто бесполезно говорить.

14

— Но я хочу знать побольше! — воскликнул юноша.

— Мой тебе совет: просто доверься Силе.

«Легко сказать: «Доверься Силе», — подумал юноша. — Почему именно я должен осуществить какую-то непонятную миссию? — продолжал думать Христиан. — Почему какая-то загадочная Сила, как называл ее Великий Магистр, выбрала именно меня?»

— Не пытайся найти ответ на этот вопрос, — произнес Маг, читая мысли юноши, — тем более сейчас, когда ты только в начале своего пути.

— Но довольно разговоров, — сказал Великий Магистр, вставая и направляясь к потайной двери в стене. — У нас сегодня еще много дел. Пойдем, я познакомлю тебя с Высшим Капитулом нашего ордена.

Христиан встал и последовал за магом. Потом остановился, посмотрел на лампу, которая лежала на столе, и спросил:

— Но Великий Магистр! Вы мне так и не рассказали, как устроена Вечная Лампа.

Алхимик засмеялся.

— Мне нравится, что в тебе очень мало страха и есть чувство юмора, — сказал он, явно довольный. — Это очень важно для рыцаря Великого Делания. О Вечной Лампе и о многих других тайнах ты узнаешь позже. А сейчас пошли — нас ждут великие дела. — С этими словами Магистр взял юношу за руку и увлек за собой в зияющую темную дыру проема — в Неизвестность.

НОВАЯ МОДЕЛЬ ЧЕЛОВЕЧЕСКОГО СОЗНАНИЯ

Друзья мои! Мы с вами живем в удивительное время, когда многие великие тайны Вселенной становятся явными. Открываются миру секреты тибетской медицины, даосские секреты трансформации энергий, принципы герметической науки, или алхимии, тайны египетских пирамид и многое другое.

Раньше эти знания были доступны только особо посвященным: иерофантам Древнего Египта и ламам Тибета, жрецам Халдеи и славянским волхвам, алхимикам и загадочным розенкрейцерам. Теперь они становятся доступными практически любому человеку, у которого есть стремление к познанию истины.

Однажды Александр Македонский написал письмо своему учителю Аристотелю:

«Александр Аристотелю желает благополучия!
Ты поступил неправильно, разгласив учения, предназначенные для чисто устного изложения. Чем же еще мы будем отличаться от остальных людей, если те же учения, на которых мы были воспитаны, станут общим достоянием? Я хотел бы иметь превосходство над другими не так могуществом, как знанием о высших предметах.
Будь здоров».

Несколько столетий назад Аристотель раскрыл людям некоторые «тайные» знания о законах Вселенной. И это вызвало недовольство Александра Македонского.

А сейчас ситуация совершенно иная. На человека обрушился колоссальный объем информации. Каждый может получить доступ к разного рода знаниям. Но не все знают, как применить эти знания в жизни. Кроме того, информация порой разноречивая или прямо противоположная. Как же разобраться, как не «утонуть» во всем этом информационном потоке? Как не затеряться в многообразии миров? И как найти свой Истинный Путь?

Поможет вам в этом Искусство создания и управления Намерением. Познав его, вы сможете управлять своей жизнью.

В этой книге я хочу преподать вам несколько уроков. Освоить их вы сможете только в том случае, если будете действовать в рамках новой модели сознания, познав законы Вселенной.

В свое время я думал, как назвать эту новую модель, в которой вы являетесь хозяином своей жизни, в которой действуют старые как мир законы. Недавно я придумал для нее удачное название — «Библейская модель человеческого сознания». Оно точно отражает те древние как мир законы, которые в ней действуют.

На определенное время эта модель станет для вас своеобразным Ноевым ковчегом, который спасет вас от информационного потопа. Кстати, не этот ли потоп описан в Библии?

Осваивая новую модель, вы получаете в свои руки мощные рычаги управления своим миром, очень тонкие инструменты его преобразования.

Любое знание основывается на теории и практике. Теория — это определенные законы, то есть наша вера. А практика — использование этих законов в жизни, в физическом мире. Это способность влиять в первую очередь на себя, а уже потом — на предметы, вещи, людей и менять их в соответствии с нашими желаниями.

Так что же это за новая модель и какие законы действуют в нашем мире? Я уже писал об этом в своей первой книге «Возлюби болезнь свою». Сейчас я вкратце напомню о них.

НОВАЯ МОДЕЛЬ ЧЕЛОВЕЧЕСКОГО СОЗНАНИЯ И ЕЕ ОСНОВНЫЕ ЗАКОНЫ

Первое положение этой модели заключается в том, что «Каждый человек сам создает свой мир, свою жизнь». Как это понимать?

«Человек создан по образу и подобию Бога» и по сути своей является творцом. Творцом своего мира. Это очень важно осознать. И создаем мы свой мир

17

своими мыслями, чувствами и эмоциями. Наше действие начинается не со слова и не с движения, а с нашей мысли. Мысль — универсальная форма энергии, и сила ее колоссальна.

Наши мысли и чувства материализуются, то есть воплощаются в реальность. Мысль, как форма энергии, зарождаясь в нашей душе, никуда не исчезает. Действует **закон сохранения энергии**. Любая мысль, посланная во внешний мир, создает определенные формы и события в нашей жизни. Таким образом, эта энергия возвращается к нам в том или ином виде.

Из этого первого положения модели следует утверждение: **«Подобное притягивает подобное»**. Если наша мысль агрессивна, то и события создаются неприятные и болезненные. Если мысли созидательные и несут в себе добро и любовь, то они воплощаются в реальность, которая приносит нам только приятные переживания. Какими мыслями пользоваться — решайте сами.

Мы сами создаем тот мир, в котором живем. Каждый из нас живет в уникальной реальности, точнее модели Реальности, построенной на основе индивидуального опыта или опыта наших предков. На самом деле окружающий нас мир непостижим, и мы вынуждены упрощать его, чтобы чувствовать себя в безопасности и быть способными действовать в нем, осмысливать его.

Получается, что все в этом мире: состояние нашего тела, душевное и физическое состояние здоровья, отношения в семье с близкими, отношения с людьми и окружающим миром, работа, финансовое положение — все это отражение и трансформация наших мыслей, чувств и эмоций.

Отсюда вытекает гениальное по своей простоте и мудрости утверждение: **«Мы с вами живем в гармоничном, справедливом и чистом мире, где каждому воздается по его мыслям»**.

«По вере вашей да будет вам!» — это слова из Библии. Вы получаете в жизни то, во что верите.

Другими словами: «Внешнее отражает внутреннее».

Нелегко, ой как нелегко многим принять это утверждение. Но если вы хотите освоить эту модель, то научитесь пользоваться ее законами в своей жизни.

Если в вашей жизни чего-то не хватает или есть какая-то несправедливость, то не спешите обвинять кого-либо и делать из себя жертву. Причина происходящего скрыта не только во внешнем мире или в так называемых внешних обстоятельствах, но, в первую очередь, внутри вас. Загляните внутрь себя.

Раз мы сами создаем свой мир, то, следовательно, мы можем его изменить. Но как это сделать?

Если вы хотите изменить окружающий мир и окружающих вас людей, то помните, что все, что вас окружает, — это отражение вас самих (внешнее отражает внутреннее). Поэтому — начните с себя. Когда вы измените себя, изменятся окружающие вас люди и события. Просто сработает закон отражения.

Если вам что-то не нравится в других людях, то это обязательно есть внутри вас, в вашем подсознании. Откажитесь от желания изменить окружающий мир, людей, своих близких. Принимайте их такими, какие они есть. Просто меняйтесь сами — и тогда мир изменится.

Если вы чего-то избегаете, то за этим скрывается какой-то страх или какая-то боль, то есть то, через что вы должны пройти и извлечь очень важный позитивный урок.

Каждый из нас должен взять на себя ответственность за свой мир.

Закон об ответственности — это ключевой момент в работе над собой. Эта идея многим дается с трудом, так как они путают понятие ответственности с чувством вины. Взять на себя ответственность за свою жизнь означает полный отказ от обвинений окружающих и себя самого, освобождение от жалости и сожалений, от критики, осуждений и ненависти. Если вы берете на себя ответственность, то начинаете жить полной и сильной жизнью. И никто уже не сможет заставить вас страдать, никакие сглазы и порчи не будут на вас действовать. Вы сами будете выстраивать события в своей жизни так, как захочется вам. Вы будете создавать особое пространство вокруг себя, которое поможет меняться окружающим людям. Изменяя свои убеждения, вы меняете свой мир. Но для того, чтобы изменить убеждения, нужна особая, новая модель человеческого сознания, в рамках которой вы могли бы действовать как хозяин. Именно такую модель я вам и предлагаю.

Закон выбора

Когда человек берет на себя ответственность за свой мир, за свою жизнь, у него появляется свобода выбора. Он становится хозяином своей жизни, настоящим магом и волшебником. Он волен выбирать, какими мыслями ему пользоваться. В этом смысле человек сильнее и выше ангела, потому что может выбирать между добром и злом. Человек изначально свободен!

В подсознании содержится информация о любом событии, происходящем во Вселенной. Это означает, что каждый из вас *уже знает все.*

Представьте клеточку организма. Она не может видеть весь организм. Но в ней содержится информация обо всем организме. Она закодирована на генетическом уровне. Человек — это такая же клеточка Вселенной. В его подсознании хранится вся информация о прошлом, настоящем и даже будущем Вселенной. Этим законом объясняются многие феномены: ясновидение и предсказание, например. Или феномен чтения мыслей и передачи их на расстояние. Гадание также относится к этому закону. Любой человек может развить — нет, не развить, а просто открыть в себе все эти невостребованные способности, и даже большие. Необходима только чистота помыслов.

Чем большей чистотой помыслов обладает человек, тем больше у него способностей, тем к большим знаниям Вселенной он получает доступ. Это можно выразить проще: чем меньше агрессии в вашей душе, в вашем подсознании, тем приятнее и интереснее ваша жизнь и тем большим здоровьем и способностями вы будете обладать. Изменить себя — это в первую очередь избавиться от агрессивных мыслей и эмоций, имеющих отношение к гордыне (об этом я писал в своей первой книге).

Закон целостности

Так как человек есть всего лишь часть Бога, Вселенной, то, как часть целого, он стремится к этому целому. Ньютон открыл закон всемирного тяготения для материальных тел. Но этот закон действует и на тела живые, которые представляют собой информационно-энергетические структуры. Каждое живое существо изначально является целостным, и человек в том числе, так как живет в самой Реальности. Но разум человека разделил мир, нарушил целостность. И поэтому человек подсознательно в течение всей своей жизни стремится эту целостность обрести. В религии это называется стремление к Богу. Это объединяет всех людей. И не только людей, а все сущее в этом мире. И не только в этом «человеческом» мире, но и в других мирах, и вообще во всей Вселенной.

Выходит, что конечная цель у всех одна, но пути разные. **Часть стремится к целому. Душа стремится к Богу.** Каждому человеку не дает покоя всю жизнь его удаленность от первоисточника. Интуитивно он чувствует это и устремляется к нему. В нашей жизни это выглядит как поиск душевного покоя, счастья, наслаждения. Человек устремляется к каким-нибудь земным вещам в надежде обрести это вечное блаженство. Он пытается забыться с помощью денег, еды, вещей, развлечений, секса, отношений. Но со временем он ощущает боль утраты всего этого. И к старости появляется щемящее ощущение, что упущено в жизни главное, ради чего и была дана жизнь. Но силы уже не те.

Человеку Богом дается жизнь и осознание для того, чтобы он обогатил это осознание самим процессом своей жизни и внес свой уникальный вклад во вселенский процесс эволюции. В этом и есть ответ на извечный вопрос: «В чем смысл и предназначение жизни?» Каждый человек подсознательно осуществляет главную функцию и главную цель жизни — жить в этом мире и стремиться, чтобы его модель реальности соответствовала самой Реальности. Другими словами, соединить сознательное и подсознательное. Только так он сможет обрести целостность самого себя.

И, наконец: Закон позитивного Намерения

Вся наша жизнь — это не прекращающийся ни на мгновение процесс осуществления наших подсознательных и сознательных Намерений. У каждого человека свой уникальный жизненный путь, и определяется он подсознательно. Очень важно понять, что наш подсознательный разум всегда осуществляет для нас определенные позитивные Намерения. Я глубоко верю в то, что человек является очень сложным сбалансированным существом. И поэтому у него никогда ничего не появится просто так. Мало того — любое поведение человека (включая болезнь) имеет свою позитивную функцию в определенном контексте. Что бы мы ни делали, какие бы ситуации ни создавали в своей жизни, какими бы болезнями ни болели — все это лишь способы для осуществления наших позитивных Намерений.

Намерение не может быть негативным, так как негативного опыта в природе просто не существует. Отрицание присутствует только в нашем языке.

22

Человек не может отказаться от осуществления своих Намерений. Это невозможно. Такова жизнь. Поэтому не нужно бороться с самим собой — нужно просто менять свои мысли и способы поведения. И вполне реально осознавать свои Намерения, создавать новые и менять способы их осуществления. Это знание делает жизнь сильной и сознательной.

Как вы уже поняли, вся магия заключена в нас самих. В наших мыслях и эмоциях. Весь вопрос в том, как научиться управлять ими. Как научиться создавать определенные цели и реализовывать их в своей жизни, чтобы сам процесс жизни приносил радость. Не важно, что вы делаете в своей жизни и к чему стремитесь. Важно вот что — приносит ли это вам радость?

Постижение магии Намерения — это раскрытие и реализация своего творческого потенциала и нескончаемый процесс саморазвития.

Ну а если какие-то из вышеприведенных законов вам непонятны, то вернитесь к ним снова после прочтения всей книги.

Несколько столетий назад великий врач и алхимик Парацельс писал: «Воображение большинства мужчин и женщин на современном уровне развития цивилизации слишком слабое, их воля слишком вялая, а их вера слишком пронизана сомнением, чтобы добиться желаемого результата; к счастью, их воображение, как бы порочно оно ни было, не будет иметь большой силы, пока состояние морали не поднимется выше своего нынешнего уровня». Эти слова актуальны и сегодня.

Почему же так происходит, что, сталкиваясь с одной и той же непостижимой, сложной и богатой реальностью, люди создают такие убогие модели мира, полные боли и страдания?

Работая с людьми и для людей, я понял, что основная причина этого заключается в том, что люди большей частью живут очень скучной и однообразной жизнью. Просмотр телепередач, вечеринки и наркотики — это лишь слабые попытки забыться. Мир перестал быть для людей загадкой. И это самое печальное. Люди перестали относиться к себе и к окружающему миру как к великой тайне.

В этой книге я сделал попытку раскрыть структуру Искусства создания и управления Намерением. Овладев им в полной мере, вы сможете изменить свой мир.

ИСКУССТВО СОЗДАНИЯ
И УПРАВЛЕНИЯ НАМЕРЕНИЕМ

Урок первый

С чего начать наш первый урок постижения Искусства создания и управления Намерением?

Наверное, с изучения и использования нескольких магических формул. Овладев ими, вы сможете реализовать свои заветные Намерения и сделаете свою жизнь счастливой.

Формула выражения Намерения

Я заявляю о своем Намерении...

Четко сформулируйте свое Намерение!

Что это значит? А это значит, что первым делом вы должны выразить свое Намерение. То есть иметь четкое и ясное представление о своих целях. Знать то, чего вы для себя хотите. Если вы хотите чего-то добиться в жизни, то должны быть нацелены на результат.

Приведу отрывок из известного произведения английского писателя Льюиса Кэрролла «Алиса в Стране чудес»[1].

_____

[1] Кэрролл Льюис. Алиса в Стране чудес / Пер. с англ. Н. Демуровой. — Минск, 1990.

24

«— Вы не будете столь любезны сказать мне, какой дорогой мне следует выйти отсюда? — спросила Алиса.

— Это в значительной мере зависит от того, куда вы хотите прийти, — ответил Кот.

— Мне безразлично куда, — сказала Алиса.

— Тогда нет разницы, какой дорогой ты пойдешь, — сказал Кот».

Нужно двигаться по направлению к тому, чего вы хотите, а не бежать прочь от того, что вам не нравится. Иначе, как можно двигаться по направлению к чему-либо, если вы не знаете, что это такое. Если вы не знаете, куда идти, то вы никогда туда не попадете.

Ко мне на прием пришла пациентка. Она долго рассказывает мне о своих проблемах в личной жизни, об истории своей болезни.

— Ну вот, доктор, и весь мой «букет», — произносит она в конце своего повествования. — Много, правда? — переспрашивает она, как бы извиняясь.

— Да, немало, — отвечаю я. — А теперь, когда я вас внимательно выслушал, хочу задать вам очень простой и в то же время очень важный вопрос: «Что вы хотите для себя от совместной работы со мной?» И я хочу, чтобы вы не спешили с ответом, а немного подумали.

— А что тут думать, — удивляется женщина. — Я хочу, чтобы у меня исчезли личные проблемы. И еще я хочу не болеть.

Эта женщина бежит от болезней и проблем, но у нее нет конкретной цели — куда продвигаться. И так отвечает большинство пациентов. Я убедился, что многие люди не только не умеют позитивно мыслить, но они просто не знают, чего хотят в жизни. В подавляющем большинстве люди прекрасно знают, чего они не хотят. Но как только им необходимо четко сформулировать, что же им нужно в жизни, — вот тогда сразу возникает заминка.

Приведу еще один пример из своей практики.

В мой кабинет тихо постучали.

— Входите! — сказал я громко.

Вошла женщина средних лет.

— Доктор, — начала она, — помогите, пожалуйста, моему мужу.

— А что с ним? — спрашиваю я.

— Пьет! Пьет уже давно. Кодировался неоднократно. Но ничего не помогает.

Женщина говорила сдавленным голосом. Вижу, еще немного — и расплачется.

— А где же ваш муж? — спросил я, предотвращая своим вопросом ее слезы.

— Там, в коридоре, ждет.

— Так пусть войдет.

Женщина выглядывает в коридор и зовет своего мужа:

— Петя, иди сюда!

Петя неуверенно заходит в кабинет. Конечно, злоупотребление спиртным отразилось на его внешности. Но мужчина он был крепкий, и поэтому до типичного *Gabitus Alkogolicus* ему было далеко.

— Садитесь, — приглашаю его, указывая на кресло.

— Спасибо, — отвечает он и садится.

Я выдерживаю небольшую паузу и смотрю ему в глаза. Мужчина при этом отводит взгляд в сторону и смущенно теребит в руках кепку.

— Что вас привело ко мне? — спрашиваю его.

— Хочу бросить пить, — отвечает мужчина.

— То есть, если я вас правильно понял, вы хотите избавиться от тяги к спиртному?

— Совершенно верно.

— Хорошо. Тогда скажите мне, чего вы действительно для себя хотите? Какова цель вашего визита ко мне?

Мужчина удивленно смотрит на меня:

— Я же уже сказал. Я хочу бросить пить.

— Это я понял, — говорю я. — Вы сказали мне, от чего вы хотите избавиться. А теперь скажите, что вам нужно?

В наш разговор вмешивается жена. Кажется, она начала что-то понимать.

— Петя, что ты хочешь вместо того, чтобы пить это проклятое зелье?

— Не знаю, — ответил он как-то отрешенно после некоторого раздумья.

Тут уже вмешиваюсь я:

— Понимаете, Петр. От того, как вы сформулируете результат, зависит успех вашего лечения. Давайте сделаем следующее. Сейчас вы пойдете домой и четко сформулируете для себя цель лечения. А завтра приходите ко мне, и мы посмотрим, что у вас получилось.

На следующий день он пришел в назначенное время (и что очень важно — пришел сам, без жены). Судя по блеску в глазах и более уверенному поведению, в нем произошли какие-то изменения.

— Я понял, что должен был ответить вам вчера, — сказал он.

— И что же? — спросил я его.

— Я должен был вчера сказать: «Я хочу вести трезвый образ жизни и контролировать свое отношение к спиртному».

— Совершенно верно, — одобрил я. — Теперь у вас есть конкретная цель, и я готов вам помочь.

А вы, читатель, знаете, чего хотите в своей жизни?

Ответьте на этот вопрос. Спросите сами себя: «Чего я хочу? Что мне нужно в этой жизни? Что сделает мою жизнь, и жизнь окружающих людей, счастливой?»

Упражнение

Запишите свои желания-Намерения на листке. Представьте, что перед вами маг и волшебник, который готов выполнить любые ваши желания. Что вы попросите для себя?

Может быть, вам нужно жилье или работа? Или вы хотите встретить любимого и любящего вас человека? Или вам необходимо здоровье?

Например.

Я заявляю о своем Намерении:

• иметь любимую и высокооплачиваемую работу;

• обрести здоровье;

• найти друзей-единомышленников;

• создать крепкую и дружную семью;

• стать богатым человеком;

• купить (построить) дом;

• видеть своего мужа (сына) трезвым и здоровым;

• и т. д.

Просмотрите этот список очень внимательно. Может быть, что-то из перечисленного было нужно вам пять лет назад, но не нужно сейчас. Сделайте это очень внимательно, прислушиваясь к голосу интуиции, чтобы не тратить свою драгоценную энергию и годы на достижение каких-то ненужных целей.

После того как вы заявите о своем Намерении, у вас в подсознании придут в движение определенные энергии, мысли и эмоции, которые закрутят ваше колесо фортуны.

А для того чтобы лучше понять, что вы хотите и в чем вы нуждаетесь, проделайте следующее упражнение.

Упражнение
АНАЛИЗ ЖИЗНЕННОЙ СИТУАЦИИ

Мое состояние на данный момент

Физическое состояние

Удовлетворяет ли меня мое состояние здоровья на данный момент?

В какой физической форме я нахожусь? На чем основана моя оценка? Достаточно ли она объективна?

28

Занимаюсь ли я регулярно оздоровительным спортом? Как я забочусь о поддержании своего тела в прекрасной физической форме?

Каков мой вес?

Правильно ли я питаюсь?

Достаточно ли я сплю? Приносит ли сон мне отдых?

Какие меры я могу принять для улучшения своего физического состояния?

Душевное (психическое) состояние

Удовлетворяет ли меня состояние моей психики на данный момент? Испытываю ли я душевный комфорт, спокойствие и удовлетворение?

Какие сферы моей жизни вызывают беспокойство и тревогу (отношения в семье, работа, экономическое положение)? Именно здесь и нужно произвести изменения.

Занимаюсь ли я своим развитием, самообразованием? Посещаю какие-либо тренинги, курсы, семинары?

Участвую ли в совместной деятельности по развитию (клубы, кружки, объединения)?

Как я могу развивать свою мотивацию и душевное состояние?

Есть ли у меня моя заветная мечта? Что я делаю для ее осуществления?

Первые два пункта имеют очень большое значение. Если вы не будете заботиться о своем физическом и душевном здоровье, то все остальное просто не имеет смысла. И как вы уже поняли, состояние тела и души связано с вашим развитием в других сферах жизни.

Семейная жизнь

Какова моя семейная ситуация на сегодняшний день? Удовлетворяет ли меня атмосфера в семье? Каковы мои взаимоотношения с членами семьи?

Есть ли что-то, что меня не устраивает во взаимоотношениях в моей семье? И что я могу сделать для того, чтобы изменить ситуацию?

Для чего мне нужна семья? В чем ее значение для меня и для общества?

Уделяю ли я достаточно времени своей семье?

Достаточно ли хорошо я знаю потребности членов своей семьи?

Есть ли в моей семье общие увлечения?

Что я хочу изменить в своей семье? Как планирую развивать свою семейную жизнь?

Работа

Для чего я работаю?

Какова функция моей работы: для меня, для семьи, для людей, для моей родины и мира?

Нравится ли мне моя работа? Приносит ли она мне моральное и материальное удовлетворение?

Помогает ли моя работа в достижении моей мечты? В осуществлении других жизненных намерений?

Чем бы я хотел заниматься через пять, через десять лет?

Что я могу изменить в своей деятельности?

Экономическое положение

Каково мое экономическое положение? Удовлетворяет ли оно меня?

Есть ли у меня финансовый план: на год, на пять, на десять лет?

Есть ли у меня беспокойство по поводу моего финансового положения? Спокоен ли я за свое будущее и за будущее своих детей?

Каковы мои основные способы получения денег: работа, предпринимательство, бизнес, инвестирование?

Разумно ли я расходую средства?

Есть ли у меня долги? Должны ли мне?

Что я могу сделать для улучшения моего экономического положения?

Дом

Есть ли у меня свой дом? Каково состояние с жильем на данный момент?

Нравится ли мне то место, в котором я живу? Если нет, то есть ли такое место в моем городе, в стране, в мире, на котором я чувствую себя спокойно и комфортно?

Что я могу сделать для решения жилищной проблемы?

Социальное положение

Каково мое окружение?

Каковы мои взаимоотношения с людьми? Удовлетворен ли я этими отношениями?

Интересуют ли меня чужие заботы и проблемы? Стремлюсь ли я помогать людям в решении их проблем?

Помогают ли мне окружающие?

Навязываю ли я другим свое мнение? Умею ли я слушать?

Умею ли я ценить людей, с которыми общаюсь? Как я это делаю?

Ценят ли меня?

Есть ли у меня друзья? Как я могу развивать свои отношения с друзьями?

Способствуют ли мои взаимоотношения с людьми моему развитию? Развиваю ли я людей, с которыми общаюсь?

Как я оцениваю свое положение в обществе? Что я делаю полезного для общества, для своей родины, для страны, в которой я живу?

Рекомендую периодически проделывать это упражнение, сравнивая ответы на вопросы.

Принцип изобилия

Внимание! Когда вы заявляете о своем Намерении, то исходите из принципа изобилия. Этот принцип звучит так: *«Я живу в изобильной Вселенной!»* Если вы хотите жить в своем доме, но на данный момент у вас нет даже однокомнатной

31

квартиры, заявляйте именно о доме. Не ограничивайте себя. Иначе может случиться так, что вы проживете всю жизнь в однокомнатной квартире, мечтая о доме и не веря в то, что вы можете его приобрести.

Не стесняйтесь! Сделайте свой заказ. Заявите о своих желаниях. Мы с вами живем в магической реальности, в которой возможно все. Когда в Намерение вложена сила вашей души и тепло вашего сердца, все силы Вселенной начинают помогать вам.

Вспомните слова Иисуса Христа: «Кто имеет, тому дано будет и приумножится; а кто не имеет, у того отнимется и то, что имеет».

Чтобы прожить свою жизнь полно и радостно, вам надлежит знать, чего вы хотите.

Первый шаг в жизни всегда — это ваш индивидуальный выбор

Если вы этого не сделаете, то за вас это сделают другие. А они могут и не знать о ваших желаниях или неправильно их истолковать. И вам останется только злиться, обвинять и сожалеть. То есть играть роль жертвы.

Поэтому станьте хозяином своей жизни и сделайте свой индивидуальный выбор.

Ваше Намерение должно быть конкретным и твердым!

Отбросьте всякие сомнения и беспокойства о том, что вы получите желаемое. Ведь тот волшебник, который поможет осуществить ваше Намерение, — это вы сами.

Создайте образ Намерения

Упражнение

Теперь подробно представьте Намерение.

Создайте яркий и четкий образ СЕБЯ в будущем, уже обладающим/обладающей тем, что вам необходимо. Используйте свое воображение, творчество и фантазию. Ответьте на такие вопросы:

Как я узнаю о том, что получил/получила желаемый результат?

Что увижу, услышу или почувствую, когда достигну своей цели?

Каковы будут мое поведение, мысли и чувства, когда я достигну желаемого состояния?

ЖЕЛАЕМОЕ СОСТОЯНИЕ (Ваше Намерение. Результат, к которому вы стремитесь)	Как я узнаю о том, что получил/получила желаемый результат? Что увижу, услышу или почувствую, когда достигну своей цели?

НАСТОЯЩЕЕ СОСТОЯНИЕ

Рис. 1

Вы можете записать ответы на эти вопросы на бумаге или на воображаемом экране компьютера.

Представьте себя со стороны уже обладающим тем, что вам нужно. Войдите в этот образ. Что вы при этом видите, слышите, чувствуете? Проверьте, действительно ли это то, что вам хотелось бы иметь? Принесет ли это радость вам и окружающим? Представьте свое Намерение настолько подробно, насколько это возможно.

Один мой знакомый очень точно и детально визуализировал место своей будущей работы.

— Вижу себя в кабинете перед компьютером, — говорит он, закрыв глаза. — Слева окно. Лицо довольное — читаю что-то из странички в Интернете.

— А сколько хочешь получать? — спрашиваю его.

— Вижу себя в день зарплаты. Получаю на руки доллары.

— Пересчитай.

— Триста.

Через некоторое время я его встретил.

— Представляешь, — говорит он возбужденно, — месяц назад устроился на работу. Кабинет в точности такой, как я его себе рисовал, за исключением незначительных деталей. А сегодня зарплату получил — триста долларов. Оказывается, работает твой метод.

— Конечно. А что, были сомнения?

— Никаких.

— Ну, тогда с тебя десять процентов, — шучу я.

— Сегодня вечером жду тебя в гости, — говорит он.

Мы пожимаем руки и расстаемся до вечера. Такие моменты в жизни особенно приятны.

Почему важно создать образ СЕБЯ в будущем, уже достигшим своей цели и обладающим теми качествами, которые вам даст осуществление вашего Намерения?

В этом есть очень глубокий смысл. Если вы будете представлять просто вещь или деньги, то ваша энергия будет уходить к этим предметам (а в конечном итоге — к тем, кто стоит за этими предметами). И поэтому вы будете зависеть от них. Именно так человек становится рабом денег, вещей и идей. А ведь одна из библейских заповедей гласит: «Не сотвори себе кумира». На Востоке есть прекрасная поговорка: «Куда мысль — туда энергия, куда энергия — туда кровь».

Многие люди поступают подобным образом. И в некоторых книгах и руководствах по визуализации даются именно такие инструкции.

«Создайте яркий и четкий образ того, что вы хотели бы иметь, — советуется в них, — а теперь наделите этот образ своими положительными эмоциями (то есть своей энергией). И после этого верьте, что вы обязательно достигнете желаемого. Внушайте себе это каждый день».

Это типичная инструкция того, как стать зависимым от идеи или вещи или быть постоянно разочарованным.

Я тоже говорю: «Создайте яркий и четкий образ». Но это будет ВАШ СОБСТВЕННЫЙ ОБРАЗ. При этом вы остаетесь хозяином в своем мире. А окружающий мир просто помогает вам в осуществлении ваших Намерений, а вы помогаете ему.

Когда вы создаете свой собственный образ, обладающий тем, что вам нужно, вы не теряете энергию, а, наоборот, с каждым шагом, с каждым вашим достижением накапливаете ее. Вы мостите свой путь такими качествами, как уверенность, спокойствие, радость, и позволяете вашему подсознательному разуму проявить творчество. Вы становитесь свободны. Есть только вы и ваш путь.

Упражнение для расширения сознания

Это упражнение поможет вам четко представить свое Намерение и значительно расширить ваше сознательное восприятие.

Выполняется оно в несколько этапов.

1. Опишите какое-либо событие в своей жизни, используя только визуальные термины: «яркий», «увидеть», «посмотреть», «цвет», «выглядеть» и др.

Например, вы описываете свой поход в театр: «...И когда я вошел в зал, то увидел много людей. Каждый был одет очень красиво, торжественно.

Было много света. Огромные прожектора освещали сцену. Я увидел свое место в четвертом ряду и сел на него. После чего я осмотрелся по сторонам. На стенах висели большие картины...»

2. Теперь опишите ту же ситуацию с использованием только аудиальных (которые относятся к тому, что мы слышим) терминов.

«...В зале было очень шумно. Люди разговаривали друг с другом. Одни говорили громко, другие — тихо, чтобы не мешать окружающим. Я слышал обрывки разных фраз. Я не стал прислушиваться к чужим разговорам, а сосредоточился на музыке. Вдруг раздался звонок. За ним еще один и еще один. В зале сразу стихло, и люди быстро стали рассаживаться по своим местам. Было слышно, как скрипят кресла...»

3. Теперь используйте только кинестетические термины (то есть свои ощущения).

«...Сидя на своем месте, я ощущал всю торжественность обстановки. Мне было очень приятно, что я попал на премьеру. То чувство радости, которое я испытывал, трудно было сравнить с чем-либо. Мне было хорошо и легко. И место мне досталось очень удобное. Кресло было мягкое. Оно было обито бархатной тканью, которая была приятна на ощупь. Мне нравилось проводить по ней рукой и испытывать снова и снова эти ощущения...»

4. А теперь используйте все три системы: и визуальную, и слуховую, и кинестетическую.

«...В зале было очень красиво и торжественно. Играла музыка, сцена освещалась со всех сторон. Было много людей. Мужчины и женщины были одеты очень красиво. Я себя чувствовал очень легко и радостно. Ведь я люблю театр. Было видно, что люди возбуждены в ожидании зрелища. Одни разбились на группы и громко что-то обсуждали. Другие молчаливо и задумчиво сидели на своих креслах. Вдруг раздался звонок, и я решил занять свое место. Когда я сел, то обратил внимание, что кресло было очень удобным. И место было очень хорошим — вся сцена лежала передо мной. Мне повезло...»

Теперь проделайте то же самое со своим Намерением. Подробно опишите его в каждой системе представлений.

— Что я увижу, когда мое Намерение осуществится?

— Что услышу?

— Что почувствую?

После этого соедините все три системы, чтобы получить полную картину.

Ваше Намерение должно побуждать вас к действиям

Ваше Намерение может показаться слишком маленьким и тривиальным, чтобы побуждать вас. Например, вы ставите перед собой задачу закончить дипломную работу. Но вы все время откладываете это на последний момент, хотя знаете, что именно в последний момент не будет хватать времени. Это Намерение малопривлекательно для вас. В таком случае подумайте, как это может быть связано с более широким, важным и привлекательным Намерением. Например, если вы закончите дипломную работу значительно раньше установленного срока, это даст вам больше времени в весенние и летние месяцы. И вы сможете потратить это время на отдых, на общение с любимым человеком. Кроме того, не нужно будет торопиться и нервничать. Таким образом, вы сэкономите не только время, но и здоровье. И, самое важное, вы возьметесь за эту, казалось бы, незначительную задачу с гораздо большей энергией, исходящей от более широкого результата.

Напитайте свое Намерение созидательной энергией, то есть приятными эмоциями, чтобы оно мотивировало вас, влекло за собой.

Для этого задайте себе вопросы:

Для чего мне это нужно? И действительно ли это то, в чем я нуждаюсь?

Если мое Намерение осуществится, что это мне даст приятного и полезного? А окружающим?

Сделает ли это мою жизнь и жизнь окружающих лучше?

Поможет ли это осуществить мою мечту?

```
┌─────────────────────┐
│       БОЛЕЕ          │
│     ШИРОКОЕ          │
│    НАМЕРЕНИЕ         │
└─────────────────────┘
```

Для чего мне это нужно?

Если мое Намерение осуществится, что мне это даст?

ЖЕЛАЕМОЕ СОСТОЯНИЕ (Ваше Намерение. Результат, к которому вы стремитесь)	Как я узнаю о том, что получил/получила желаемый результат? Что увижу, услышу или почувствую, когда достигну своей цели?

```
┌─────────────────────┐
│    НАСТОЯЩЕЕ         │
│    СОСТОЯНИЕ         │
└─────────────────────┘
```

Рис. 2

Наши Намерения не должны ограничиваться только какими-то материальными ценностями: домами, квартирами, машинами. Это могут быть новые отношения или какое-то ценное внутреннее качество. Лучше, когда нас в жизни интересует абсолютно все.

Научитесь задавать себе магический вопрос: «Для чего?»

Для чего мне нужно осуществить это Намерение? Что это мне даст?

Будет ли это способствовать моему развитию как человеческого существа?

Какую пользу это принесет моей семье, родине, всему миру?

Приблизит ли это меня к моей мечте?

Старайтесь думать масштабно. Тем самым вы привлечете больше сил и энергий для осуществления вашего Намерения.

Мощным стимулом может быть здоровье или любовь. Очень многие решают бросить курить только после того, как появляется реальная угроза их здоровью. А некоторые женщины начинают худеть и следить за собой во время любовного романа.

Прихожу как-то к своему знакомому, а он делает уборку в своей квартире. Казалось бы, ничего удивительного в этом нет. Но для него это было экстраординарное событие. Дело в том, что мой знакомый — закоренелый холостяк. И свою квартиру убирает раз в полгода. Можете себе представить, что творилось в квартире между уборками. В последний раз он делал уборку три месяца назад. И то после того, как заболел тяжелым бронхитом. Доктор сказал, что если он не вытрет всю эту пыль, то его болезнь может перейти в бронхиальную астму. Поэтому когда я увидел его с веником и тряпкой, то понял, что произошло нечто необычайное.

— Слава, что с тобой случилось? — спрашиваю я. — Одно из двух: или ты заболел, или ожидаешь важных гостей.

— Скорее второе, — ответил он. — Недавно я познакомился с одной красивой девушкой, гречанкой, и пригласил ее в гости. Кстати, она скоро придет, поэтому, вместо того чтобы умничать, бери веник в зубы и помоги мне с уборкой.

39

Сила всегда находится внутри меня

Есть ли у вас необходимые ресурсы для осуществления вашего Намерения? Конечно, они есть! У человека вообще есть все необходимое. Ведь он создан по образу и подобию Бога. И Господь Бог дал нам все еще при рождении. *Сила всегда находится внутри вас. И точка опоры всегда находится в настоящем моменте.* Нужно только осуществить к этим ресурсам доступ. Для этого спросите себя:

В чем я нуждаюсь, чтобы мое Намерение осуществилось?

Продумайте это очень тщательно. Ресурсы могут быть внутренними и внешними.

Внутренние ресурсы — это, например, позитивный настрой, сила, уверенность, любовь, ваши особые умения, знания и таланты. Внутренние ресурсы даются при рождении и приобретаются работой над собой.

Например, вы хотите, чтобы у вас была красивая, верная и надежная, любвеобильная и хозяйственная, спокойная и радостная жена, которая родит вам красивых, здоровых и умных детей. Но ваша жена всегда будет соответствовать вам как мужчине. Поэтому начните развивать в себе те качества, которые будет отражать ваша половинка.

И даже если вы уже женаты, но ваши отношения не складываются, то, когда вы начнете меняться, изменится и ваша супруга. И в вашей семье воцарятся долгожданные гармония и любовь.

Внешними ресурсами могут быть деньги, вещи, связи. Это будет зависеть не только от внутреннего состояния, но и от ваших конкретных действий в физическом мире.

Такой вопрос, как *«В чем я нуждаюсь, чтобы мое Намерение осуществилось?»*, высветит перед вами несколько очевидных задач.

Ваше Намерение должно иметь реальные размеры

Это одна из самых частых проблем. Некоторые люди склонны к тому, чтобы ставить перед собой настолько неопределенные цели или глобальные задачи, что на их осуществление может уйти несколько жизней.

Ваше Намерение должно иметь реальные размеры. Оно может быть слишком большим, и тогда его следует разбить на несколько более мелких, легко достижимых.

БОЛЕЕ ШИРОКОЕ
НАМЕРЕНИЕ

Для чего мне это нужно?
Если мое Намерение осуществится, что мне это даст?

ЖЕЛАЕМОЕ СОСТОЯНИЕ (Ваше Намерение. Результат, к которому вы стремитесь)	Как я узнаю о том, что получил/получила желаемый результат? Что увижу, услышу или почувствую, когда достигну своей цели?

Мелкий результат,
легко достижимый

В чем я нуждаюсь, чтобы мое Намерение осуществилось?

НАСТОЯЩЕЕ
СОСТОЯНИЕ

Рис. 3

41

Например, вы решили купить машину. Вы уже четко сформировали Намерение. Знаете, для чего она вам нужна. Знаете, какую марку машины вы хотите иметь, какого она будет цвета. Вы уже даже представляете себя счастливым и довольным обладателем, с ключами и всеми необходимыми документами, рядом с машиной.

Теперь вы задаете себе вопрос: *«В чем я нуждаюсь, чтобы мое Намерение осуществилось?»*

И вот тут высвечиваются по крайней мере две очевидные задачи. Первая — для этого нужны деньги. И вторая — машиной нужно уметь управлять. Попросту — необходимо получить водительское удостоверение.

Но поверьте мне — это не проблемы. Превратите эти проблемы в цели: заработать деньги на покупку машины и получить права. Проблем не существует вообще. Или можно сказать по-другому: проблемы существуют у нас в голове. *Любая проблема — это Намерение, которое неправильно сформулировано.*

Хорошо, как заработать необходимую сумму денег? Может быть, нужно поменять работу или найти дополнительный источник доходов. Вот уже высветилась другая цель.

Возможно, поставив перед собой какую-то цель, вам придется несколько раз переформулировать свое Намерение, пока вы не придете к тому, что первый шаг примет реальные размеры, и вы сможете действовать. Помните известную поговорку: «Путь даже в тысячу ли начинается с первого шага».

Сейчас я вам расскажу историю, которая произошла двадцать лет назад.

Один мужчина очень хотел купить машину. Желание его было настолько сильным, что даже во сне он видел себя рядом с ней. Это была прекрасная новая «Волга» черного цвета.

Этот мужчина работал рабочим в метрополитене и прекрасно понимал, что, работая на этой ра-

боте, он вряд ли купит такую машину. Ну, может, лет через десять, и то если «сидеть» на одних макаронах.

Поэтому, все тщательно взвесив, он уволился с работы и поехал на Север. Через полтора года его мечта осуществилась.

Ваш путь должен приносить вам радость

Сформулировав Намерение в будущем, вы ставите перед собой задачу в настоящем, и, наоборот, любая проблема в настоящем может быть превращена в намерение в будущем.

Осуществление вашего Намерения — это путешествие от настоящего состояния к желаемому. Это ваш жизненный путь. Представьте, что на этом пути будут интересные и преодолимые препятствия, которые закалят вас и сделают сильнее, встретятся разные люди, у которых вы будете учиться чему-то новому и совершенствоваться. Ваш путь будет развивать вас и принесет пользу вашим близким, вашей родине и всему миру.

У вас должно быть желание совершить это путешествие. И вы должны верить в то, что цель является достижимой и стóит того, чтобы ее достигать.

Обязательно занимайтесь в жизни тем, что вам интересно.

Часто я говорю своим пациентам:

— Ваше заболевание или любая ваша проблема говорят о том, что вы остановились в своем развитии как личность. Вам пора что-то изменить в своей жизни.

Многие возражают:

— Ну что вы, доктор. Поздно что-либо менять, годы уже не те.

В таком случае я рассказываю им несколько историй из жизни. Вот некоторые из них.

Один мужчина, достигнув зрелого возраста, получил в наследство от своих предков тетрадь с рецептами лечения различных заболеваний. Он проверил их на себе и близких. Потом попробовал лечить людей, и у него получилось. Через некоторое время его имя стало известно за пределами города, области и республики. К нему стали приезжать люди со всего бывшего Союза, и у ворот его дома каждый день была очередь. А ведь он всю жизнь проработал мастером по ремонту швейных машин.

Недавно я познакомился с очень интересным человеком. Он свою жизнь посвятил физике, много лет проработал в университете на кафедре, достиг определенного положения в обществе.

И вот в шестьдесят с лишним лет перенес инсульт. Прочитав в одном из журналов о кислородном голодании клеток и способах его преодоления, сконструировал из пустых пластмассовых бутылок и капельниц специальный прибор, гиперкапникатор, для обогащения воздушной смеси углекислым газом. Вылечил себя, помог многим людям. Эта идея так сильно захватила его, что он решил выучить анатомию, физиологию и другие медицинские науки. И вот в 69 лет он стал студентом, чтобы получить еще одно образование.

Однажды он мне сказал:

— Я так прекрасно себя чувствую и мне так все это интересно, что я намереваюсь прожить еще лет тридцать, а может, и больше.

Мир предлагает нам огромное количество возможностей для богатой и счастливой жизни. Но люди привыкли ограничивать себя. Многие люди вообще живут на очень низком уровне жизненной энергии. Хотя и не очень страдают по этому поводу, так как мало что знают об истинно творческой жизни.

Мой вам совет — не обращайте внимания на свой возраст и образование. Если тот путь, по которому вы идете, приносит вам боль и страдание, то немедленно оставьте его. *Ваш путь должен приносить вам радость.*

Еще один важный момент — состояние любопытства и удивления. Почему маленькие дети учатся всему очень быстро? Потому что для них все ново в этом мире и они не боятся выглядеть глупо, если чего-то не знают. Помните, я писал о том, что самая большая трагедия людей в том, что они перестали воспринимать мир как тайну. *Поэтому проявляйте любопытство и не переставайте удивляться!*

Я думаю, что вы уже четко для себя уяснили, чего вы хотите.

Упражнение по созданию необходимого опыта

Формируя свое Намерение, вы можете столкнуться с несколькими проблемами. Одна из них заключается в том, что вы создаете что-то новое в своей жизни и ваше подсознание должно быть уверено в том, что то, что вы хотите получить, — благоприятно для вас и окружающих.

Почему в жизни все новое пробивается с трудом, часто воспринимается в штыки? Потому что оно вносит изменения в нашу жизнь. А любое изменение угрожает нашей модели мира, то есть каким-то привычным стереотипам. Даже если эти стереотипы и вредны для нас. Здесь подсознание действует по принципу: а не будет ли новое еще хуже? Ведь любое явление этого мира несет в себе как положительное, так и отрицательное.

В таком случае, чтобы чувствовать себя спокойно и совершенно безопасно, можно создать своеобразный кинофильм — опыт будущего.

Когда вы вспоминаете опыт прошлых событий, вы настолько полно можете погрузиться в свои воспоминания, что получите доступ к тем чувствам, которые вы тогда испытывали. Все без исключения умеют делать это. Только одни люди стараются вспоминать приятные и успешные события из своего прошлого, а другие — постоянно прокручивают в своей голове неприятные мысли и образы. Кстати, именно этим и отличается оптимист от пессимиста.

Прямо сейчас вспомните свой первый опыт влюбленности. Постарайтесь вспомнить все очень подробно. Обратите внимание на то, что вы тогда видели, что слышали, какие чувства вы тогда испытывали. Во что были одеты вы и ваш любимый человек? Какое время года было тогда? День был солнечный или дождливый? Получите доступ к запахам, вкусовым ощущениям, эмоциям. Используйте для этого состояние глубокой релаксации, медитации или транса.

Если вы проделаете это упражнение качественно, то сможете заметить, как меняется ваше дыхание, ваш пульс, другие физиологические реакции. Оказывается, что в состоянии глубокого транса люди вспоминают даже такие подробности, на которые, казалось бы, не обратили никакого внимания. Например, название пятой книги слева на третьей полке в книжном шкафу.

Почему это возможно? Дело в том, что наш мозг записал прошлый опыт на все пять дорожек наших чувств. Нам осталось только «прокрутить» у себя в голове весь этот фильм.

Так почему бы нам не создать подобным образом фильм о нашем будущем? Если мы сделаем это очень качественно да еще используем для этого состояние глубокой релаксации, то у нашего подсознания будет необходимый опыт всего спектра переживаний.

Уже давно установлено, что отрицательные переживания из прошлых событий влияют на наш настоящий опыт. По тому же принципу приятные переживания из будущего начнут воздействовать

46

на наше настоящее, формируя его нужным образом. Ведь на глубинных уровнях сознания между прошлым, настоящим и будущим нет никакой разницы.

Создайте яркий и четкий образ-визуализацию своего Намерения. Используйте свое воображение, творчество и фантазию. Ответьте на такие вопросы:

Как я узнаю о том, что получил/получила желаемый результат?

Что увижу, услышу или почувствую, когда достигну своей цели?

Каковы будут мое поведение, мысли и чувства, когда я достигну желаемого состояния?

Вы можете записать ответы на эти вопросы на бумаге или на воображаемом экране компьютера.

Представьте себе, что вы уже такой/такая, каким/какой хотите быть. Вы уже довольны и спокойны, вас любят и ценят, вы добились успеха в делах. Представьте себя со стороны уже обладающим тем, что вам нужно. Войдите в этот образ. Проверьте, действительно ли это то, что вам хотелось бы иметь? Представьте свое Намерение настолько подробно, насколько это возможно. Вызовите в себе особое чувство обладания тем, чего вы хотите. Думайте в данный момент только о том, что вам необходимо. Старайтесь создать очень яркий зрительный образ и удерживайте его как можно дольше. Добейтесь того, чтобы этот образ воспроизводился по вашей команде.

Теперь у вас есть не только сценарий и фильм, но и необходимый опыт. А когда у человека есть опыт, он действует гораздо эффективнее.

Еще определите, какие особые чувства, высшие качества у вас появятся благодаря осуществлению вашего Намерения. Это может быть чувство уверенности и спокойствия, или мир и гармония в душе, или радость в жизни и доверие к людям.

Например, приобретение дома может принести вам чувство умиротворения и покоя, возможность

47

быть ближе к природе, обливаться холодной водой, стоя на земле босыми ногами, выращивать свои деревья и травы.

Знакомство с новым человеком может дать вам ощущение уверенности, радости. Женщине знакомство с мужчиной может принести чувство опоры и защищенности. Мужчине отношения с женщиной помогут проявить силу, благородство, мужество.

Теперь вспомните такие ситуации в своей жизни, когда вы уже переживали эти чувства. Получая к ним доступ, вы открываете перед собой дорогу к желаемому и напитываете свое Намерение необходимой энергией.

Заякорите эти особенные переживания. То есть закрепите их в каком-то конкретном месте своего тела. Как это сделать?

Чтобы лучше понять, о чем идет речь, давайте вспомним знаменитые опыты великого академика Павлова со своими собаками. Академик Павлов обнаружил, что если во время кормления собаки использовать какой-то внешний стимул, будь то звонок или свет лампочки, то при повторении этого стимула у собаки возникают те же физиологические реакции, которые были при кормлении. Другими словами, в мозгу возникала особая связь: стимул — реакция, которую академик назвал условным рефлексом.

Если во время вспоминания тех особых переживаний вы, к примеру, сожмете запястье своей левой руки, то это ощущение сжимания именно в этом месте будет ассоциироваться с вашими особыми чувствами. И в следующий раз, когда вы сожмете свое левое запястье в этом месте, вы испытаете всю гамму важных для вас чувств. Убедитесь в этом сами.

Шаг 1. Получите доступ к необходимым переживаниям. Вспомните то время, когда вы испытывали эти особые чувства. Поверьте, что вы действительно там. Постарайтесь увидеть то, что увидели бы. Услышать то, что услышали бы. Почувствуйте вкус, запах, прикосновения и ощутите то, что ощутили бы.

Шаг 2. «Поставьте якорь». Закрепите эти ощущения и переживания специфическим прикосновением к какой-то части тела (это может быть палец, предплечье, запястье, колено и т. д.).

Шаг 3. Проверьте якорь. Для этого воспроизведите прикосновение. Если вы сделали все правильно, то ваши особые ощущения возникнут вновь.

Если ощущения недостаточно яркие, то вернитесь к шагу 1 и повторите все с самого начала.

Этот якорь вы можете использовать в любой ситуации, где вам необходимы эти чувства.

Например, вы должны идти к начальнику или вести переговоры. И чувствуете некоторое волнение или неуверенность. Заранее создайте ресурсный якорь. Для этого вспомните любую ситуацию в своей жизни, когда вы чувствовали себя уверенно и успешно при общении с людьми. Поставьте ее на якорь. И, заходя в кабинет к начальнику, «включите якорь». Это даст вам доступ к необходимым чувствам, вы будете уверенны, и нужные слова найдутся сами.

В качестве якоря может быть не только прикосновение, но и особенное приятное слово или особая одежда, в которой вы когда-то действовали успешно. Когда я учился в институте, то ходил сдавать экзамены всегда в одном и том же костюме. В этом костюме я получал в школе золотую медаль. С ним у меня было закреплено чувство успеха. И я сдавал в институте экзамены на «отлично». Конечно, костюм не давал мне необходимых знаний, но он «настраивал» меня на успех.

Такую же функцию выполняют и разного рода амулеты, обереги.

Этот же механизм можно использовать при создании намерения. Для этого определите, какие

49

высшие чувства вы хотите получить от осуществления своего намерения (любовь, доверие, радость и т. д.). Закрепите эти чувства с помощью якоря. И когда будете создавать яркий и четкий визуальный образ своего Намерения, «включите якорь».

Основные правила
формулирования Намерения

И теперь, чтобы ваше Намерение воплотилось в жизнь, его необходимо сформулировать по определенным правилам.

Правило 1. Ваше Намерение должно быть сформулировано позитивно.

Что это значит? А это значит, что негативного опыта в мире не существует. Есть просто опыт. Это мы делаем его негативным или позитивным, напитывая теми или иными эмоциями. В подтверждение этого давайте проведем один простой эксперимент. Сейчас я попрошу вас **не** запоминать число 28. **Ни в коем случае** не нужно запоминать это число. Так какое число не нужно было запоминать? Правильно. Почему вы сделали это? Да потому, что наш разум так устроен. Он сначала должен сделать то, что не нужно делать, для того чтобы осознать, чего не нужно было делать.

Когда вы отрицаете что-либо или бежите от чего-то плохого, вы удерживаете внимание на негативе и питаете его своей силой. То есть приближаете к себе. Именно поэтому ваше Намерение должно быть сформулировано позитивно. Это дает вашему мозгу конкретное направление, а вашим действиям — необходимую силу.

Правило 2. Ваше Намерение должно быть сформулировано в настоящем времени.

Как-то ко мне приходит мой знакомый и жалуется:

— Ты знаешь, делаю все, как ты говорил, но почему-то Намерение не осуществляется.

— Намерение не может не осуществиться, если оно составлено по всем правилам, — говорю ему. — Значит, где-то допущена ошибка. Давай с самого начала. Назови мне какое-нибудь из своих Намерений.

— Ну, например, «У меня будет прекрасная работа, которая...»

— Стоп, — прерываю его. — Вот уже ошибка.

— Какая? — спрашивает он удивленно.

— Ты составил Намерение с использованием будущего времени. Таким образом, ты будешь гнаться за будущим и вряд ли получишь то, что тебе нужно сейчас.

Время должно быть только настоящее. Потому что прошлого уже нет, а будущее еще не наступило. Только здесь и сейчас. Это выглядит так, как будто ваше Намерение уже осуществилось. Другими словами, действуйте так, как будто у вас это уже есть. Визуализируйте этот опыт, и он обязательно воплотится в реальность.

Например.

«Я заявляю о своем Намерении **жить** в прекрасном доме».

«Я заявляю о своем Намерении **ездить** на хорошей, комфортной, экономичной машине».

«Я заявляю о своем Намерении **иметь** добрые отношения с людьми».

«Я заявляю о своем Намерении **видеть** моего мужа трезвым».

Правило 3. Ваше Намерение должно быть сформулировано от первого лица.

То есть: «Я заявляю...»

И это не будет проявлением эгоизма. Ведь вы имеете право взять ответственность только за свой мир. Не вмешивайтесь в жизнь другого человека, даже из лучших побуждений, — это насилие над его миром. А насилие оборачивается ответной агрессией. Таких примеров можно привести множество.

Мне часто звонят женщины с просьбой помочь их мужьям или сыновьям-алкоголикам. «Доктор, — просят они слезно, — дайте мне такое лекарство, чтобы я подсыпала его в еду или питье моему мужу (сыну), и так, чтобы он бросил пить».

А потом они удивляются, что их муж (сын) начинает с ними грубить или колотить их после каждой выпивки.

А сколько еще невежественных женщин, которые хотят приворожить мужчин и используют так называемую «черную» магию. А потом страдают от этого.

Дорогие женщины! Изучите и используйте закон управления Намерением. И тогда в вашей жизни появится любимый и любящий вас мужчина. Или улучшатся отношения с тем мужчиной, который уже рядом с вами. И это будет благоприятно для вас обоих.

Намерение, которое звучит так: «Муж перестает пить», — неверно! Потому что вы снимаете с себя всякую ответственность и ставите в зависимость от внешних обстоятельств. Правильно будет: **«Я вижу моего** мужа (сына) трезвым». Или другой пример: **«Я вижу моих** родителей здоровыми и счастливыми». Если вы живете от родителей далеко и видите их очень редко, то можете добавить: **«Я узнаю** по телефону или из писем о том, что **мои** родители здоровы, **у моих** родителей все благополучно».

Таким образом вы берете ответственность на себя, а не ждете, пока изменится другой человек.

А сейчас возьмите листок бумаги и ручку и проделайте все это. Я думаю, у вас обязательно получится.

Великое Делание

Прошел уже месяц с тех пор, как Христиан оказался в подземелье таинственного ордена. Встреча с Великим Магистром оказалась поворотной в его жизни, хотя внешне мало что изменилось. Он все так же посещал университет. Общался с друзьями и преподавателями.

Христиану пришлось уйти с той квартиры, на которой он проживал до последнего курса университета.

— Вот тебе рекомендательное письмо, — сказал Алхимик. — Отдашь его торговцу тканями, который живет рядом с церковью. Будешь жить у него. Это один из наших братьев.

После знакомства с Высшим Капитулом Христиан узнал, что братья ордена живут жизнью, которая внешне ничем не отличается от жизни обычного обывателя. Как оказалось, среди братьев ордена были дворяне и купцы, исследователи и мореплаватели. А в одном из посвященных он узнал профессора своего университета.

— А я думал, что братья ордена живут в подземельях и только ночью, под прикрытием тьмы, выходят подышать чистым воздухом, — поделился он как-то своими мыслями с Великим Магистром.

Великий Магистр долго смеялся после его слов.

— Вот видишь, — сказал он, — я же говорил тебе, что люди выдумывают про нас всякие небылицы. Мы вынуждены скрываться только потому, что в последнее время в руках некоторых людей появились наши зашифрованные книги о Великом Делании. Инквизиция таким образом пытается сломать печать таинства с нашего ордена. Нашим братьям нужно быть очень осторожными.

— А для чего инквизиции нужны ваши секреты? — спросил Христиан.

— Золото! Вот что движет ими, — ответил Магистр. — Мы владеем секретами получения чистейшего золота и в любом количестве.

После занятий в университете Христиан через один из потайных ходов проникал внутрь подземелья, в главный зал. Там Великий Магистр учил его магии. Он готовил его к Великому Деланию.

— Так что же такое алхимия на самом деле? — спросил однажды Христиан.

— Как ты уже знаешь, — начал свое объяснение Великий Магистр, — химия — это наука, которая занимается изучением превращения одних веществ в другие. Алхимия же считает, что реакция между веществами может проходить с превращением элементов. Причем протекание подобной реакции имеет обратную связь с тем, кто ее проводит. И исход такой реакции зависит от волевых качеств алхимика.

Христиан живо представил себе сумасшедшего алхимика, который день и ночь сидит перед тиглем и твердит какие-то заклинания в надежде получить из свинца золото. Это его рассмешило, и он еле заметно улыбнулся.

Казалось, от Мага нельзя скрыть ни одной мысли.

— Твое представление об алхимике, Христиан, действительно смешно, — сказал Магистр. — Но так думает большинство людей.

Когда химик работает с веществом, то основные элементы всегда остаются неизменными. Химика можно сравнить с маляром, красящим стену, — его работа требует сноровки, но не гения.

Алхимик же изменяет характер простых тел и поднимает их до более высоких состояний бытия. Он художник, рисующий картину, — поскольку он воплощает идею и вкладывает в работу свою душу.

— И я тоже стану алхимиком? — спросил Христиан.

— Конечно! Ты должен будешь пройти через трансформацию, то есть совершить свое, личное Великое Делание.

— Но я не знаю, в чем смысл Великого Делания.

— Я, один за другим, буду открывать тебе алхимические ключи. Обычно на это уходят десятки лет. Но тебе потребуется гораздо меньше времени, потому что тебе будет помогать моя личная сила. Я верю, ты овладеешь секретом Истинного Солнца — Философского Камня.

— Философского Камня? — удивился Христиан. — Я слышал о том, что с помощью этого вещества можно превратить любой металл в золото. Так ли это?

— Ты хочешь знать сразу слишком многое. Я уже давал тебе совет: просто доверься Силе и начни действовать. В твоей ситуации это будет самое верное.

— Знание, не подкрепленное конкретными действиями, — мертвое знание. Задавая так много вопросов, ты пытаешься обмануть сам себя. Ты думаешь, что, получив больше информации, будешь спокойнее себя чувствовать? Ошибаешься! Ведь я могу сообщить и даже показать тебе такое, от чего волосы на твоей голове встанут дыбом. А я использую в общении с тобой магический язык. За этим стоит очень многое, но оно тебе пока не доступно.

Христиан продолжал посещать университет. Он заканчивал последний курс и в скором времени должен был получить диплом врача.

С каждым днем своего обучения у Великого Магистра он все больше и больше понимал смысл его слов. Он видел разницу между разного рода знаниями. В университете он изучал одни науки, а с Великим Магистром — другие. Причем те знания, которые он постигал через алхимию, стояли на порядок выше обычных.

Христиану повезло.

В подземелье замка он изучал космологию и астрологию, магию и медицину, антропологию и теософию. За все время учебы в университете он не узнал, да и не мог узнать и сотой доли того, что постиг с Алхимиком. Но больше всего его интересовало Великое Делание.

— Получить чистейшее, благородное золото — это лишь уловка, — говорил Великий Магистр, смешивая порошок железа, серы и сурьмы в равных пропорциях. — Расплавь это в тигле и держи в красном жару восемь часов.

Главное в Великом Делании, — продолжал учить Алхимик, — это трансформация самого человека. Переплавка в его сердце порока в добродетель, страха — в мужество и силу, ненависти — в любовь. Великое Делание — это огненная трансмутация души и тела. А золото — это лишь средство, да и то не во всех случаях.

— А почему алхимики выбрали именно золото, а не какой-то другой металл?

— Золото — это король металлов. И если ты будешь говорить об обычных его свойствах, таких, как плотность, плавкость, химическая стойкость, то ты не скажешь самого главного. А главное в любом металле — его душа.

56

Подай мне вон ту книгу, в кожаном переплете, — попросил Магистр. — Я научу тебя высчитывать тот момент, когда Сатурн и Марс входят в конъюнкцию. Это очень важно. Вся работа должна быть сделана в самый момент конъюнкции планет.

Алхимик, — продолжал Магистр, — имеет дело не с химическими или физическими свойствами вещества, а с его душой. Золото — это индикатор правильности пути для истинного алхимика и мага.

Но главное в Великом Делании — это не трансмутация металлов в золото. И даже не получение Красного Льва или Эликсира Бессмертия. Я уже говорил тебе об этом. Повторю еще раз. Трансформация личности алхимика — вот главная цель адепта герметического искусства.

Когда ты получишь Философский Камень и Эликсир Бессмертия — это значит, что твое Великое Делание состоялось. С этого момента ты можешь превратить любой металл в золото, причем в чистейшее золото. Небольшого кусочка Красного Льва будет достаточно, чтобы получить около тонны этого благородного металла. А с помощью Эликсира ты вернешь себе молодость и сможешь управлять своим телом.

Христиан подумал о Патриции. Почему он не узнал всего этого раньше?! Тогда бы он точно женился на ней. Но теперь путь к ее сердцу закрыт навсегда. Ведь после того происшествия в лавке мясника они с отцом были вынуждены бросить все и перебраться в другой город, а возможно, и в другую страну, чтобы не угодить в руки инквизиции.

— Таким образом, — продолжал Магистр, — ты получаешь богатство и власть. Но к тому времени, когда ты завершишь свое Великое Делание, с тобой произойдут удивительные перемены. Ты станешь человеком другого уровня. Перед тобой откроются великие и удивительные возможности. Ты сможешь становиться невидимым и проходить сквозь стены, владеть тайнами прошлого и предвидеть будущее. И это еще далеко не все.

Но новые возможности и те чудеса, которые кажутся таковыми в восприятии обычного человека, — это не главное. Важен твой личный рост и развитие.

Все врата и двери этого мира будут открыты для тебя. Короли и императоры захотят тебя видеть и общаться с тобой. Но будь осторожен! Их души пропитаны страхом и завистью. «Великие мира сего» стремятся подчинить адептов Тайного Искусства своим корыстным интересам. Поэтому ты сам должен быть чист и свободен от корысти.

— А если вы мне дадите своего Красного Льва, смогу ли я в таком случае превратить любой металл в золото?

— Конечно. Ведь Красный Лев обладает силой, необычной силой, потому что он получен руками и волей Великого Мастера. И эта сила способна преображать любой металл.

— Тогда сможет ли простой человек, заполучивший каким-то образом Философский Камень, принести с его помощью вред окружающим?

— Все будет зависеть от намерений этого человека и от чистоты его помыслов. Ведь на золото, полученное таким образом, можно создать могущественную армию и обрушиться на соседние государства, неся разрушение и смерть. А можно построить дома, накормить голодных, излечить больных. Именно поэтому получение Философского Камня доступно только Мастерам Тайного Искусства, которые чисты в своих намерениях.

Но самое главное, о чем я тебе уже говорил, — это то, что человек, самостоятельно получивший Красного Льва, находит тайную тропу, которая ведёт в бесконечную Вселенную. Из обычного смертного он превращается в человека совсем другого уровня, перед которым открываются Ворота Вечности.

Есть много путей к этой тайной тропе. Один из них ты знаешь — это христианское подвижничество. Путь праведника тоже имеет право на существование. Но праведная жизнь через пост и молитву не по мне. Мне по душе — Великое Делание алхимика. Это путь приключений, опасностей, риска и отважного познания тайн.

— Почему же вы не дадите эти знания людям?

— Ха-ха-ха, — рассмеялся Великий Алхимик, — эти знания не нужны им.

— Но почему? — искренне удивился Христиан.

— Да просто люди не хотят владеть теми тайнами, которыми владеем мы. Они не поверят во все это. Им мешает их глупость. Они ограничены своим невежеством.

— Позвольте не согласиться с вами, — решил возразить юноша. — Ведь есть ученые, прогрессивные профессора университетов, которые были бы заинтересованы получить эти знания.

— Это ничего не меняет, — хладнокровно ответил Мастер. — Глупость простого мельника и профессора совершенно одинакова. Я бы даже сказал, что у мельника гораздо больше шансов стать человеком знания, чем у ученого. Ведь ученый, соприкасаясь с миром тайных знаний, из-за страха перед неведомым начинает сочинять всякие нелепые объяснения, основанные на уже известных фактах.

Уровень знаний, которым обладают и кичатся известные профессора самых известных в Европе университетов, ничтожно мал. Но вся их беда в том, что они считают себя очень умными и просвещенными людьми. Посмотришь на иных — и кажется, что они вот-вот лопнут от непомерно раздутого чувства собственной важности.

Алхимия — это искусство, которое нельзя постичь без духовного знания. Поэтому если мы откроем какие-то тайные знания людям, то они будут просто непонятны для них. Большинство людей лишено силы внутреннего восприятия.

Но поверь мне, Христиан, — голос Алхимика торжественно возвысился, — наступит время, когда люди будут просто вынуждены искать другие пути.

— Когда это произойдет?

— Это случится через несколько столетий. А сейчас, — продолжал Великий Магистр, — займемся делом. От болтовни мало толку. Сегодня я собираюсь открыть тебе секрет получения электрума. Это сплав из семи металлов, сделанный в должном порядке и в надлежащее время. Множество удивительных вещей может быть сделано из него. И каждая из них будет обладать огромной магической силой.

ИСКУССТВО СОЗДАНИЯ И УПРАВЛЕНИЯ НАМЕРЕНИЕМ

Урок второй

Формула времени и места

Мое Намерение осуществляется в нужное время и в нужном месте.

Этот момент в формировании Намерения очень важен. Ведь мы с вами живем в таком мире, в котором существует пространство и время. И эти неотъемлемые атрибуты должны быть учтены.

Вы можете определить конкретно место и время осуществления вашего Намерения. Вы можете все тщательно спланировать, но я вам не советую делать это. Почему? Потому что, какими бы способностями вы ни обладали, сознательно вы не сможете просчитать все тонкости. Это легко можно продемонстрировать на следующих примерах.

Предположим, что у вас есть, как минимум, два Намерения:

1) купить хлеб;
2) найти работу.

Первое Намерение тривиально и легко осуществимо. Вы делали это неоднократно. У вас есть опыт, и вы можете точно знать, где вы купите хлеб и когда. Но даже в данном случае могут возникнуть непредвиденные препятствия: неожиданный звонок, визит друга, табличка «Учет» на двери магазина.

Другое дело — второе Намерение. Оно более сложно. Для его воплощения в реальность нужно определенное время. Кроме того, вы можете и не знать, где и в каком месте вы будете работать. Поэтому планировать конкретно место и время — это хороший способ получить разочарование.

И тем не менее координаты должны быть определены. Как это сделать? Вместо того чтобы указывать точную дату, определите для своего результата примерные временные рамки. И сформулируйте свое Намерение следующим образом: «В оптимальное время и в самом лучшем для меня месте я получаю (нахожу) нужную работу».

Почему важна именно такая формулировка? Дело в том, что наше сознание способно удержать одномоментно 7 плюс-минус 2 единицы информации. А наш подсознательный разум содержит информацию о любом событии во Вселенной. Так кто же лучше справится с задачей: ваше сознание, которое ограничено определенными рамками, или ваше подсознание, способности которого безграничны?

Предоставьте своему подсознанию возможность выбрать место и время осуществления вашего Намерения. Оно просчитает все возможные варианты самым лучшим образом.

Просто обратитесь внутрь себя, к своему подсознательному разуму, и попросите: «Подсознание, определи самое оптимальное время и самое лучшее место для осуществления моего Намерения».

Интересно то, что для этого совершенно не нужно каких-то особых навыков. Ведь наше подсознание всегда делало это. Вспомните ситуации в своей жизни, когда случалось то, что вы хотели. Люди, не посвященные в магию Намерения,

61

называют это везением, случайностью или счастливым случаем.

Но у человека в жизни никогда ничего не происходит просто так. Все случайности — это подсознательные закономерности. Не только какие-то события в жизни, но даже мысль просто так не появляется. Любая мысль, любое поведение человека служит достижению определенных позитивных для него намерений. И наше подсознание руководит нашими действиями, чтобы помочь нам. И действует оно таким образом, как вы сами его научили.

Несколько лет назад я столкнулся в жизни с одной проблемой. Мне обязательно нужно было решить ее, но я не видел решения или сталкивался в жизни с какими-то препятствиями. Тогда я уже знал магические законы и понимал, что все ситуации в своей жизни я создаю себе сам.

Неоднократно я обращался к своему подсознанию с вопросом: «Как я создал эту ситуацию и для чего?» Но мой внутренний разум молчал. Информация не шла. Тогда в один прекрасный момент я просто сказал себе: «Подсознание, я знаю, что ты делаешь для меня с помощью этой проблемы что-то важное, но я никак не могу понять — что. Я доверяю тебе. Найди самый лучший для меня и окружающих выход из этой ситуации и, когда будешь готово, дай мне знать об этом».

После этого я почувствовал расслабление. Переключился на другие сферы жизни. Сходил с друзьями в сауну, записался в бассейн, стал больше внимания уделять сыну.

В конце недели я позвонил в Волгоград своей жене, которая в то время гостила там у матери.

— Валера, ты знаешь, мама купила очень интересную книгу, — сообщила она мне по телефону. — Тебе она тоже будет интересна.

После этого она дала мне фамилию автора и название книги.

Звонил я в пятницу, а в субботу пошел на рынок и купил книгу. Причем нашел ее сразу. И вот буквально на первых страницах книги я нахожу подсказку в решении моей проблемы.

Потом, фамилия автора книги мне показалась знакомой, и при более внимательном рассмотрении оказывается, что автор этой книги — мой бывший тренер по каратэ. В то время, когда я был еще мальчишкой, он был моим первым духовным наставником. А сын его учился у моей мамы в классе. Сейчас у этого человека своя школа в Санкт-Петербурге. В таких случаях обычно говорят: «Как тесен мир».

Как видите, помощь мне пришла очень быстро, неожиданным образом и от человека, которому я мог полностью довериться.

«Все, что мне нужно знать, любую необходимую информацию я узнаю в нужное время самым лучшим образом».

«Все, что мне необходимо, приходит в мою жизнь в нужное время и в нужном месте».

Формула внимательности

Я обладаю необходимой остротой и чувствительностью для того, чтобы заметить, продвигает ли меня то, что я делаю, к тому, чего я хочу.

Вы должны быть очень внимательны к себе. Прислушивайтесь к голосу интуиции и своим чувствам. Почаще обращайтесь внутрь себя. И в то же время будьте внимательны к окружающему миру, к поведению и реакциям людей. Держите свои чувства открытыми, чтобы заметить, что вы верно движетесь по пути осуществления своих Намерений, к желаемому результату. Обращайте внимание на все знаки, которые попадаются на вашем пути.

Люди часто дают друг другу такие советы: «Не обращай внимания», «Да плюнь ты на это», «Выбрось это из головы». Это примитивные и даже вредные советы. Таким образом, вы перестанете реагировать на те сигналы, которые дает вам сама жизнь.

Наоборот, будьте очень чувствительны и внимательны к себе и окружающему миру. Только научитесь правильно распознавать знаки.

— Доктор, я очень чувствительная, а это плохо. Ведь я все воспринимаю близко к сердцу. Наверное, все болезни у меня от этого, — говорит мне одна моя пациентка.

— Наоборот, хорошо, что вы чувствительны, — говорю я. — У вас уже есть то, чему я сейчас учусь. Просто вам нужно научиться реагировать позитивно на любые события в вашей жизни.

Какими могут быть знаки? Самыми разными. У каждого они свои, в зависимости от ситуации.

У меня есть друг, который очень хорошо научился ориентироваться в знаках. Постоянными знаками для него являются пустые и полные ведра.

— Представляешь, — как-то рассказывает он, — собрался в Мелитополь по делам. Проезжаю сто метров, а навстречу мужик с пустыми ведрами. Я его останавливаю и спрашиваю: «Мужик, ну хоть что-то есть у тебя в ведрах?» — «Нет, ничего», — отвечает он. Я разворачиваюсь и еду обратно домой.

— А вдруг все было бы нормально? — спрашиваю я.

— Я тоже так раньше думал, — отвечает он, — пока не убедился, что все это работает правильно. Вот если полные ведра навстречу, да еще и с водой — тогда к удаче.

— Я знаю одного таксиста, — привел я пример, — у которого своя система знаков. Если три раза подряд ему попадается красный сигнал светофора, то это знак для него или клиента, что ехать туда бесполезно.

Но не будьте суеверны! Не доводите все до абсурда. Если кошка перебежала вам дорогу, то скажите себе так: «Черная кошка — к счастливой дорожке, а рыжая кошка — к веселой дорожке!» «А белая кошка?» — спросите вы. Придумайте сами. Ведь все в этом мире, в том числе и знаки, создаем мы.

Как-то я наблюдал очень интересную сцену. Оживленную трассу в городе перебежала черная кошка. С одной стороны водитель троллейбуса, а с другой — водитель «Волги» остановились и стоят. Водитель троллейбуса, вежливый такой, приглашает водителя «Волги»:

— Проезжай, пожалуйста.

А водитель «Волги» показывает:

— Нет, ты первый.

И с одной и с другой стороны образовался затор. Другие водители сигналят, а они с места не сдвинутся. Стояли несколько минут, все спорили, кому ехать первым. Пока один на джипе, нарушая все правила, не проехал.

Наш подсознательный разум знает абсолютно все и с помощью знаков и сигналов дает нам подсказку. Существует Универсальный Язык, на котором говорит все живое. Только понимать его нужно не ушами и разумом, а своим сердцем.

Лично я обращаю внимание на все.

Например, если пациент хочет прийти ко мне на прием, но откладывает визит по разным причинам, то я уже знаю, что процесс лечения может быть медленным. И наоборот, если человек приходит в нужное время, да еще и без предварительной записи — результат быстрый и стопроцентный.

Я получаю нужную мне информацию разными способами: общаясь с людьми, с помощью книг и телевидения. Главное — быть внимательным и обращать внимание на все. Но не нужно зацикливаться на знаках. Если вы не можете распознать значение сигнала, то оставьте его и себя в покое. Попросите свое подсознание дать вам более понятный сигнал.

Один мой приятель, которого я обучил, как правильно читать знаки, рассказал мне следующую историю:

— Недавно я поехал на автобусе в Бахчисарай. По пути произошла такая ситуация. На одной из остановок зашел контролер и стал проверять билеты. У одного молодого парня моего возраста было какое-то удостоверение из министерства. Но контролер сказал ему, что его удостоверение не дает ему права бесплатного проезда и он должен заплатить. Завязался спор. Кто-то из пассажиров занял позицию одного, а кто-то — другого. Контролер показывал ему все документы, которые подтверждали его правоту, но парень, что называется, «уперся рогом» и никак не хотел уступать.

И вдруг меня осенило! Ведь все ситуации в жизни мы создаем себе сами. Я понял — эта ситуация для меня. Я что-то должен для себя извлечь из нее. Пока автобус стоял и все ругались, я расслабился и обратился внутрь себя, как ты меня учил. Я задал своему подсознанию такие вопросы:

— Чем я создал эту ситуацию? Что я должен понять из этой ситуации?

Но внутри — тишина. Наверное, я не смог хорошо расслабиться из-за шума. Тогда я оставил попытки и попросил подсознание:

— Я знаю, что ты даешь мне какую-то информацию, какой-то сигнал, но я пока не могу его понять. Дай мне, пожалуйста, более понятный сигнал.

После этого мы продолжили путь.

Но на этом мои приключения не закончились. В тот день мое подсознание явно хотело мне сообщить что-то очень важное. На обратном пути автобус остановил гаишник и стал проверять до-

66

кументы у водителя. Какие-то документы оказались не в порядке, и водителю пришлось заплатить штраф.

Я снова обратился внутрь себя с теми же вопросами.

— Документы не в порядке — плати, — получил я ответ от подсознания.

И вот тут, что называется, до меня дошло. Оказывается, два дня назад я испытывал сильное беспокойство по поводу своих документов и боялся, что нагрянет налоговая инспекция. Как раз об этом мне и был сигнал.

В тот же день я, по возвращении домой, привел в порядок свои документы и успокоился.

Формула гибкости

Я очень гибкий/гибкая в своем поведении и мышлении и вовремя меняю свои действия для получения необходимого результата.

Существует золотое правило: «Если то, что вы делаете, не срабатывает, сделайте что-нибудь другое».

Если дверь не открывается в одну сторону, попробуйте открыть ее в другую. Но сначала спросите себя: а действительно ли мне нужно то, что находится за дверью?

Чтобы осуществить свои Намерения, вам необходимо не только слышать, видеть и ощущать то, что происходит, но и иметь запас разнообразных реакций и быть готовыми поменять свое поведение.

Если вы не меняете своего поведения, то всегда будете получать одно и то же.

Запомните! Контролировать ситуацию будет тот человек, у которого бо́льшая гибкость поведения.

Замечено, что действительно талантливые и удачливые люди имеют больше двенадцати разных способов реагирования на ситуации. Они очень гибки в своем поведении. Чем больше выбор, чем больше внутренних стратегий, тем больше шансов на успех. Расширяйте свои возможности! У вас есть все необходимые ресурсы для достижения цели.

Упражнение
«ИСПОЛЬЗОВАНИЕ РЕСУРСОВ ПОДСОЗНАНИЯ ДЛЯ РЕАЛИЗАЦИИ НАМЕРЕНИЯ»

Чтобы ваше Намерение осуществилось наверняка, в нужное время и в нужном месте, полностью доверьтесь своему подсознательному разуму. Ведь ему известно все об этом мире, о вашем прошлом, настоящем и будущем. Вам нужно только использовать его творческие ресурсы. Как это сделать?

Ниже я описываю всю процедуру по шагам. Попробуйте проделать все это.

План-схема
ИСПОЛЬЗОВАНИЕ РЕСУРСОВ ПОДСОЗНАНИЯ

Шаг 1. Сформируйте Намерение по всем правилам, описанным в книге.

Шаг 2. Установите контакт со своим подсознанием.

Для этого обратитесь внутрь себя и задайте вопрос: *«Готово ли мое подсознание общаться со мной на сознательном уровне?»*

Дождитесь ответа. Это может быть какое-то ощущение, зрительный образ, внутренний голос или движение пальца (я писал об этом подробно в своей первой книге «Возлюби болезнь свою»). Используйте для этого состояние транса.

Шаг 3. Экологическая проверка: *«Есть ли такие части моего подсознания, которые бы возражали против реализации данного Намерения в моей жизни?»* Если вы получили ответ «нет», переходите к следующему шагу. А если вы получили ответ «да», то пересмотрите свое Намерение очень внимательно. Что-то в нем не так, раз есть внутренние возражения. Прислушайтесь к внутреннему голосу. Он вам обязательно подскажет.

После коррекции Намерения снова проведите экологическую проверку. Переходите к следующему шагу только после получения четкого ответа «нет».

Шаг 4. Создание части, которая будет ответственна за осуществление вашего Намерения. Для этого обратитесь к своему подсознанию: *«Создай такую часть, которая будет ответственна за осуществление данного Намерения. Как только сделаешь это, дай мне ответ «да».* Получив ответ «да», переходите к следующему шагу.

Шаг 5. Создание новых способов поведения и мышления.

Обратитесь ко вновь созданной части подсознания: *«Воспользуйся моими творческими ресурсами, фантазией и личной силой и создай несколько (как минимум три) новых способов поведения и мышления для осуществления моего Намерения. Пусть новые способы будут эффективны, надежны, быстры и просты. И пусть они будут благоприятны для меня и окружающих. Как только сделаешь это, дай мне ответ «да».*

Поздравьте себя! Теперь у вас есть такая часть подсознания, которая будет стремиться осуществить ваше Намерение и сделает это самым лучшим образом, в нужное время и в нужном месте.

А после того, как ваша цель будет достигнута, не забудьте поблагодарить эту часть подсознания, которая была создана на время реализации ваших желаний и потребностей, и попросите ее слиться с подсознанием в целом или наделите ее новыми функциями.

Например, вы хотели получить дом, и вы его получили. Эта часть подсознания прекрасно спра-

69

вилась с задачей. И что же ей делать теперь? Пусть она заботится о вашем доме, о его чистоте и сохранности. Снова установите с ней контакт и попросите создать новые способы поведения для этого. Эта часть подсознания будет своего рода ангелом-хранителем для вас и вашего дома.

Другой пример. Вы хотели встретить любимого человека и в нужное время, в нужном месте вы его встретили. Теперь пусть подсознание заботится о чистоте, надежности и дальнейшем развитии этих отношений.

Ваше подсознание — это та сила, которая связана с Богом и вершит вашу судьбу. Поэтому доверяйте ему полностью.

Формула чистоты помыслов

Осуществление моего Намерения благоприятно для меня и окружающего мира.

Помните, что вы живете не изолированно от окружающих. Более того — этот мир ваш. И ваше личное процветание зависит не только от вашего отношения к себе, но и от вашего отношения к окружающим людям, природе, родине, стране, в которой вы живете.

И поэтому, чтобы Намерения осуществились, помыслы ваши должны быть чисты. Чисты от зависти и жадности, гордыни и ревности, обид и осуждения. Любые отрицательные мысли и эмоции будут служить препятствием на вашем пути. Мало того, они будут создавать болезни и приносить несчастья. Я очень подробно написал об этом в своей первой книге «Возлюби болезнь свою».

Приведу одно высказывание Парацельса:

«Думать — значит действовать на плане мыслей, и, если мысль достаточно интенсивна, она может оказать воздействие на физическом плане. К

70

счастью, весьма мало людей обладают силой заставить мысль воздействовать непосредственно на физический план, поскольку мало кого из людей никогда не посещают дурные мысли».

Помните, что ваше Намерение — это не то, что вы хотите получить в ущерб другим! *Убедитесь в том, что ваше Намерение находится в полной гармонии с вами, как с цельной личностью, и с окружающим миром.* То, что вы получите в результате, должно улучшить не только вашу жизнь, но и жизнь других людей.

Недавно я беседовал с одним известным человеком, который создал свою школу. Речь зашла о нравственности и ответственности за свои поступки.

— Ты знаешь, — сказал он, — я условно разделил всех людей на три категории.

— Какие? — спросил я.

— Первая категория, — начал он, — Это люди-животные. То есть те, которые ждут, когда им дадут все готовое. А если не дают, они начинают реветь, как недоеные коровы.

— Да, — подтвердил я, — вместо того чтобы действовать самим, все брать в свои руки, они только и делают, что обвиняют, осуждают и критикуют других.

— Вторая категория, — продолжал он, — это люди-звери, хищники. Они способны прокормить себя сами, обеспечить себе жизнь. Но при этом им наплевать на других. Они готовы уничтожить себе подобных.

— Можно я закончу? — перебил я его.

— Давай.

— Третья категория — это Человек Разумный. Такой человек, который способен позаботиться о себе и о других.

— Совершенно верно. Он может добиваться целей таким образом, что другие при этом тоже получают для себя что-то важное и полезное.

71

Как видите, Карл Линней и Чарлз Дарвин ошибались. Процесс эволюции людей только начался, и до Homo Sapiens многим людям еще далеко.

Этот мир целиком ваш, и вы должны позаботиться о каждом, кто имеет отношение к вашему Намерению.

Поэтому задайте себе следующие вопросы:

Кого затронет мое Намерение?

Могут ли возникнуть нежелательные побочные эффекты?

Что я должен сделать, чтобы осуществление моего Намерения было благоприятно не только для меня, но и для других?

Например, вы хотите больше заработать денег на приобретение чего-либо, но это скажется на семье. Чем больше времени вы будете тратить на работу, тем меньше времени будет оставаться семье. Поэтому обговорите все со своими близкими. Заручитесь их поддержкой. Объясните им спокойно, что вам сейчас потребуется больше времени проводить на работе, зато в дальнейшем все получат от этого выигрыш. В то же время трезво оцените свои силы и способности.

К любой ситуации у вас должен быть такой подход: «Пусть каждый будет победителем; пусть каждый получит для себя что-то хорошее и полезное».

Недавно мне позвонил один мой читатель из Молдавии.

— Валерий Владимирович, — сказал он, — хочу поблагодарить вас за вашу книгу «Возлюби болезнь свою». Благодаря вашему методу погружения и подсознательного программирования я вернул себе стопроцентный слух. Огромное спасибо.

Но что интересно, — продолжал он, — произошли изменения и в других сферах жизни. Особенно меня удивили мои успехи в игре в бильярд. Я очень люблю эту игру, но играл не совсем хорошо. И поэтому боялся играть с сильными противника-

ми. После прочтения вашей книги я изменил отношение к самой игре и к соперникам. Я стал желать им победы! Перед игрой я говорю о том, чтобы каждый победил и получил от этой игры для себя что-то доброе и хорошее.

Теперь все те, кто раньше у меня выигрывали, проигрывают мне. Они спрашивают, где я так хорошо научился играть? А ведь я нигде не учился. Что-то изменилось во мне самом.

Такой подход позволяет избежать конкуренции. Ведь конкуренция порождает борьбу и напряжение. А это приводит к сердечно-сосудистым заболеваниям, язве желудка, раку и другим проблемам.

Вы хотите жить в вечном страхе и напряжении?

Говорят, что цивилизация порождает стресс. Это неверно. Мы сами создаем стрессовые ситуации своим отношением к себе и к окружающим.

Иисус Христос учил: «Возлюби врагов своих». А я говорю вам: «Не существует врагов». Лично для меня все люди — друзья, учителя и союзники.

Как-то мы с друзьями парились в сауне. Есть у нас такая традиция. И я рассказал все это одному моему приятелю. Я сидел на верхней полке, а он — на средней. Он повернулся, посмотрел на меня недоверчиво и спросил:

— Ты уверен в том, что ты говоришь?

— Я не только говорю это, — ответил я ему. — Я так живу.

— Значит, ко всем людям нужно относиться по-доброму?

— Совершенно верно.

— Даже если они делают тебе плохо, унижают, доставляют всякие неприятности? — спросил он меня.

— Они не могут мне сделать плохо, — ответил я, вытирая со лба капельки пота. — Потому что я изменил свое отношение к поступкам людей. Раз-

73

дражительный человек меня учит спокойствию, жадный — щедрости, а злой — доброте.

— Это как понять?

— Очень просто. Дело в том, что я использую в своей жизни закон отражения. Согласно этому закону, каждый человек, который встречается в моей жизни, отражает какую-то черту моего характера.

— Приведи пример.

— Пожалуйста. Если мне встречается жадный человек, это значит, что во мне есть жадность.

— Интересно. И что ты делаешь в таком случае?

— Я начинаю работать над собой, избавляться от жадности. Я воспринимаю этого человека как свое отражение, своего «учителя». Я благодарю его за то, что он вывел на поверхность мои отрицательные черты характера. И при этом внимательно слежу за его поведением. Если он исчезает из моей жизни или меняется сам, значит, я избавился от жадности.

— А если он продолжает тебя доставать и снова демонстрирует жадность?

— Значит, я не изменился. Если я веду себя правильно, возможны только два варианта: или он меняется сам, особенно если это близкий мне человек, или уходит из моей жизни навсегда.

— Очень интересно, — говорит приятель. — Мне кажется, теперь, благодаря тебе, я понял одну заповедь Иисуса Христа: «Ударили по одной щеке — подставь другую». Я думаю, этому стоит научиться. Пошли отдохнем, попьем чаю и обсудим все это подробнее.

Одна моя пациентка спрашивает:

— Доктор, научите меня, как мне реагировать на мою соседку.

— А что случилось? — спрашиваю я.

— Житья от нее нет совсем. Все, что она говорит и делает, вызывает во мне раздражение и злость. Иногда мне кажется, что она делает это специально, чтобы подпитаться моей энергией.

74

— Почему вы так решили?

— После общения с ней я чувствую себя разбитой. А она выплеснет все отрицательные эмоции на меня и становится такой энергичной, вся распрямляется, румянец на щеках появляется. Что же мне делать? Не могу же я каждый раз избегать общения с ней.

— А вам и не нужно избегать с ней общения. Наоборот, сейчас старайтесь встречаться с ней побольше. Используйте эти встречи для того, чтобы увеличить свою энергию.

— Каким образом? — спрашивает недоуменно женщина.

— Дело в том, — объясняю ей, — что до этого вы играли роль жертвы, а она — роль палача. Вы не просто играли, вы действительно ощущали себя жертвой. Поэтому она брала вашу энергию. А теперь на ее раздражение вы будете отвечать спокойствием, на ее хамство — вежливостью. В то же время вы будете учиться постоять за себя. Благодаря ей вы обретете спокойствие, выдержку и много других ценных качеств. Другими словами, вы обретете силу. Да после нее вам уже никто не будет страшен! А она перестанет получать от вас «злую» энергию, почувствует, что сама отдает вам свою, и «отключится» от вас.

— Доктор, мне нравится ваша точка зрения. Я обязательно попробую это.

— Вы вскоре поймете, что вам с соседкой очень повезло!

Закон чистоты помыслов «работает» четко и в любой ситуации.

Однажды моего родственника обворовали на крупную сумму денег. Воры забрались в квартиру через форточку и вынесли дорогую аппаратуру. До этого случая он редко прислушивался к моим советам. Как говорится: «Нет пророка в своем отечестве». Но сейчас решил воспользоваться моей моделью.

75

— Валера, приходи сегодня ко мне домой, — позвонил он мне. — Я готов над собой поработать.

Вечером я пришел к нему. Мы расположились на диване. Вид, конечно, был у него ужасный.

— А что ты думаешь, — как бы читая мои мысли, сказал он, — я уже две ночи не сплю. Все думаю, кто это мог быть из знакомых.

— Ты не о том думаешь, — сказал я. — Это тебе ничего не даст, поэтому не трать попусту свою энергию. Первое, что нужно сделать, — это правильно создать Намерение.

— Как это сделать?

Я объяснил ему все подробно, и мы составили такое Намерение: «В нужное время и в нужном месте я получаю мои украденные вещи в целости и сохранности».

— Теперь, — говорю я, — я составлю Намерение для себя, так как я тоже заинтересован в том, чтобы вещи вернулись к тебе. «В нужное время и в нужном месте я узнаю о том, что украденные у моего родственника вещи возвращены ему в целости и сохранности». Такое же Намерение составят твои родители и моя жена. Таким образом, наши силы возрастут во много раз.

— Что делать дальше? — спросил он.

— А дальше мы должны выяснить, чем ты создал такую ситуацию и для чего. Ты ведь знаешь, что все ситуации в жизни мы создаем себе сами.

Мы с ним подробно обсудили, какими своими мыслями и эмоциями он привлек в свою жизнь воров. В основном это были страх и беспокойство по поводу денег, безалаберное отношение к себе и к жизни. После этого мы выяснили, для чего ему нужна такая ситуация, какие позитивные уроки он должен из нее извлечь.

Все эти моменты прошли гладко. Но когда речь зашла о чистоте помыслов, вот тут возникла заминка.

— Слушай, — говорит он со злостью, — как я могу желать ворам чего-то хорошего? Ведь эти подонки должны быть пойманы и наказаны. Мне даже молитву такую дали, в которой воры должны гореть в аду, их должны пронизывать сорок ножей и все такое прочее.

При этих словах мой родственник дал мне текст молитвы.

— Конечно, они должны быть пойманы, — говорю я, — потому что вряд ли принесут тебе вещи сами. Хотя такой вариант тоже возможен, но для этого у тебя еще мало силы.

А что касается этой так называемой молитвы, — говорю ему, возвращая листок, — то молитвой ее вообще нельзя назвать. В настоящей молитве не должно содержаться никакой агрессии. Это не молитва, а заговор из так называемой «черной» магии. И пронизан он ненавистью и злостью. И вообще, — спрашиваю я, — что воры сделали тебе плохого?

Он удивленно посмотрел на меня.

— Ситуацию ты создал сам, — продолжаю спокойно я. — Привлек воров в свою жизнь своими отрицательными мыслями. Другими словами, воспользовался их услугами и получил позитивный урок. Так чем же ты недоволен? Ты их благодарить должен.

— Получается, что воры нужны в этом мире? — спрашивает он.

— Конечно, — говорю я, — пока что нужны. И будут нужны до тех пор, пока у людей есть страх за деньги, жадность и зависть. В таких случаях воры — прекрасные негласные учителя. Их предназначение — учить людей уважительному отношению к деньгам, своим и чужим.

— Но если у меня не будет всех этих отрицательных мыслей, а у других людей будут, то воры все равно не исчезнут.

— Да, но они пройдут мимо тебя и даже не заметят. Ты и они — вы будете жить в других эманациях.

— Хорошо, — соглашается он, — какие у меня должны быть мысли в отношении воров, чтобы мои вещи вернулись?

— *Твои мысли должны быть чисты. Чисты от злости, обид и осуждения. Во-первых, искренне благодари воров за урок. Во-вторых, твои новые мысли должны звучать так: «Возврат мне моих вещей благоприятно сказывается на ворах, на их физическом и духовном состоянии».*

— *А как это возможно и возможно ли?*

— *Я думаю, что возможно. Ведь наверняка это у них не первая и не последняя кража. Поэтому, когда они попадутся (а они обязательно попадутся), им будет выгодно вернуть твои и другие вещи или сказать, где они находятся. Им в милиции оформят явку с повинной и скостят пару лет. Да, кстати, — продолжаю я с ехидцей в голосе, — а как у тебя с отношением к милиции?*

— *Я уже понял, — сказал мой родственник с улыбкой. — Я должен изменить свое отношение и к ментам тоже, иначе будут препятствия с возвратом вещей.*

— *Совершенно верно. Только делай это искренне.*

— *Я готов на все, даже на это.*

Через полтора месяца воров поймали, и все вещи были возвращены моему родственнику в целости и сохранности.

Закон чистоты помыслов можно использовать не только для получения каких-то материальных благ. Используйте его для улучшения отношений с людьми, для саморазвития и самосовершенствования, для улучшения здоровья. И еще для улучшения экологической обстановки, улучшения экономической и политической ситуации в стране, в которой вы живете, и в целом мире. Старайтесь мыслить масштабно.

Я уже писал о том, что у нас с друзьями есть традиция — мы каждую неделю ходим в сауну.

Лежу я на топчане. Только что вышел из парилки. Накрылся толстым махровым полотенцем, расслабился. В такие моменты испытываешь легкое приятное головокружение. Мыслей нет никаких. Рядом стоит ароматный чай из трав, собранных в горах, и прекрасный липовый мед. В общем, лежишь и наслаждаешься.

И тут речь заходит о нашем правительстве и законах. Не люблю я эти разговоры, потому что заканчиваются они, как правило, критикой и осуждением. Вот и сейчас два моих приятеля-бизнесмена ругают законы, правительство и налоговые органы.

— А вы не пробовали полюбить наше правительство? — спрашиваю я их.

Они посмотрели на меня как на ненормального.

— Да не смотрите вы на меня так, — сказал я им. — Я говорю совершенно серьезно. Какой вам прок от всех этих бесполезных осуждений и критики? Только портите настроение себе и другим. А вот вы попробуйте поступить неординарно.

— Каким образом? — спрашивают они меня.

— В государственных органах работают простые люди, — стараюсь объяснить я своим друзьям. — И у каждого из них есть душа, независимо от того, таможенник это или налоговый инспектор. И душа этого человека чутко реагирует на ваши мысли и эмоции. И если ваше отношение враждебное, то и получите вы от этого человека только один негатив в виде штрафов или намеков на взятку. А если вы отнесетесь к ним по-доброму, то и к вам будет с их стороны такое же отношение.

— Да как же к ним можно хорошо относиться? — возмущаются друзья. — Человек должен заслужить доброе к себе отношение.

— Вот вы и заслужите доброе отношение к себе с их стороны. Не ждите, пока они изменятся, — это рабская психология. Используйте закон отражения. Я вам уже рассказывал о нем. Измените себя сами, если хотите, чтобы кто-то изменился. Результат будет обязательно.

79

После этого кто-то рассказал пару анекдотов, и мы переключились на другую тему, но вижу — мои слова заставили их задуматься.

А через неделю мы встретились в сауне снова.

— Ты знаешь, — говорит мне один из моих друзей, — два дня назад попробовал действовать так, как ты говорил.

— Ну и как, получилось? — спросил я, не скрывая своего любопытства.

— Сработало!

— А какая была ситуация? — спросил я.

— Обычная ситуация, — стал рассказывать он. — Пришел налоговый инспектор с проверкой. Раньше без взятки не обходилось. А тут думаю: «Дай-ка я ему пошлю мысли хорошие». Смотрю на него, как он перебирает всякие бумаги, хочу хорошо думать, но ничего хорошего в голову не лезет. И тут вдруг в районе солнечного сплетения появляется какое-то необычное чувство и поднимается за грудиной к самому горлу. Аж глаза стали влажными, а в горле запершило. Я бы назвал это чувство чувством сострадания или сочувствия, потому что вслед за ним в голове появились необычные мысли: «Ведь ты такой же человек, как и я. Ты тоже хочешь есть, заработать деньги на жизнь. Я это прекрасно понимаю. И я желаю тебе всего хорошего. Живи в достатке, только не за счет моего благополучия. Оставь, пожалуйста, меня в покое. Помоги своим уходом моему процветанию». И странное дело, — продолжал приятель, — как только я об этом подумал, инспектор отложил бумаги, сказал, что он сегодня спешит и что зайдет с проверкой в следующий раз. Я был как будто в трансе.

— Теперь не жди его следующего визита, — сказал я, — а пообщайся с ним мысленно, и тогда он вообще оставит тебя в покое.

Если ваше Намерение позитивно, а помыслы чисты, то природа и люди тут же откликнутся и помогут вам.

Один мужчина, участник моего семинара, поделился примером из своей жизни.

— Вы знаете, — сказал он, — а ведь я давно пользовался этим принципом. Однажды я отправился к родственникам в деревню. Поезд пришел на станцию поздно вечером. А от станции до деревни нужно идти через лес около километра. Было полнолуние, но погода была пасмурной, и луна скрылась за тучами. Тьма кромешная. Идти через лес страшно. И тогда я обратился к тучам. Я их попросил: «Тучи, расступитесь, пожалуйста, и пусть луна мне посветит. Только пусть от этого никто не пострадает, всем будет хорошо». И тут, как мне тогда показалось, произошло чудо. Из-за туч вышла полная луна и осветила мне дорогу. Я поблагодарил и тучи, и луну и зашагал к деревне. И всю дорогу, пока я шел, участок на небе вокруг луны был чистым. А как только я дошел до деревни, луна снова спряталась за тучи. Я потом еще несколько раз пользовался этим принципом.

Формула ответственности

Я беру на себя ответственность за осуществление моего Намерения.

Все события в своей жизни мы создаем сами, поэтому перестаньте обвинять, осуждать и обижаться. Ни вы, ни кто-либо другой не виноваты в том, что у вас чего-то нет. Виноватых не существует вообще.

Я предлагаю вам вместо чувства вины взять на себя ответственность. Это сделает вашу жизнь легкой, интересной и сильной. Вы научитесь добиваться нужных вам результатов совершенно самостоятельно и не будете зависеть от так называемых «внешних обстоятельств». Наоборот, так называемые «внешние обстоятельства» будут складываться всегда в вашу пользу.

Главное — перестать быть жертвой и почувствовать себя хозяином своей жизни.

Формула действия

Я начинаю действовать.

Заявите о серьезности своего Намерения.

Вы уже усилили свое Намерение, напитав его положительными эмоциями. Теперь приведите его в действие.

В черной или белой магии существуют разные обрядовые способы сделать это. Можно многократно повторять Намерение на восходе солнца, включая его в молитву. Или записать его на бумаге и носить с собой. Или изготовить специальную свечу, а потом сжечь ее. А можно наговорить Намерение на воду.

Я же предлагаю вам самый лучший вариант. Начинайте действовать с чистыми помыслами и без суеты! Если ваши Намерения серьезны, определите первые шаги и действуйте. Помните, в зачет идут только действия.

Когда-то я поставил перед собой большую цель — стать величайшим целителем, доктором в мире! Я разбил ее на несколько более мелких и реально достижимых целей: освоить новые методы лечения, написать книгу, получить ученую степень и т. д.

И вот на одном из этапов я «застрял». Мое продвижение вперед, к осуществлению моего намерения, остановилось. Тогда я обратился внутрь себя, к своему подсознанию, и спросил:

— Что мне нужно сделать, чтобы двигаться дальше? Подскажи, какой должен быть мой следующий шаг?

— Измени структуру своей деятельности, — получил я внутренний ответ. — Больше общайся с людьми. Выступай перед большими аудиториями, читай лекции, проводи семинары. Делись с людьми своими знаниями. Издавай книгу (к тому времени книга уже была готова, но не хватало не-

большой суммы денег на ее издание). Займи на ее издание деньги у друзей.

Я начал действовать незамедлительно. Но так как у меня не было опыта выступления перед людьми, я решил начать с небольшой аудитории. Я пошел в одну из больниц города, договорился с главным врачом о проведении лекции. Людей пришло немного, но это было только начало. Через неделю я провел еще одну лекцию в кардиологическом центре. В этот раз людей уже было больше. Потом я занял деньги у друга на издание своей книги. А еще через две недели в мой кабинет вошел мужчина под два метра ростом и предложил мне участвовать в одном проекте.

— Ты знаешь, — сказал он, — я собираюсь создать Школу здоровья, и мне нужен специалист, который мог бы выступать с лекциями в разных городах Крыма и Украины. Мне посоветовали тебя знакомые.

Конечно, я согласился. Это можно назвать везением. Но я вижу эту ситуацию по-другому. Мое Намерение начало работать и привлекать в мою жизнь нужных мне людей. Так бывает всегда, когда вы четко сформировали свое Намерение и начинаете действовать.

Вы достаточно потрудились на психическом плане. Теперь пришло время реализовать ваши Намерения в физическом мире.

Например, если вы будете сидеть дома и ждать, когда у вас появятся друзья, то они вряд ли появятся. Вместо этого, подумайте лучше о том, как стать более открытым, подружиться с кем-нибудь, и сделайте первые шаги для этого.

Если вы создали Намерение быть богатым, то наверняка для его осуществления вам придется поработать не только над собой.

Ваши действия должны быть как внутренними (избавление от агрессивных эмоций, работа с негативными мыслями и убеждениями), так и внешними (конкретные физические усилия, встречи с необходимыми людьми и т. д.).

И еще очень важно! Осуществление вашего Намерения так или иначе связано с действиями других людей. Вы столкнетесь с разными реакциями. Одни люди будут стремиться откровенно вам помочь, другие — помогут создать препятствия. Важно правильно реагировать. Если вы встречаете препятствия на своем пути, то не спешите обвинять кого-либо. Иначе вы снова поставите себя в позицию жертвы. Препятствие четко указывает вам на то, ЧТО вы должны изменить в себе.

Если человек не реагирует так, как вам хотелось бы, возьмите ответственность на себя и действуйте. Подумайте, что вам необходимо изменить в себе и что сделать, чтобы вызвать нужную вам реакцию. Это связано с гибкостью.

Что я должен/должна сделать, чтобы получить то, что я хочу?

Какой должен быть мой первый и следующий шаг?

Вы должны быть очень гибки и менять свое поведение до тех пор, пока не получите то, чего хотите.

Помните золотое правило? **«Если то, что вы делаете, не срабатывает, сделайте что-нибудь другое».**

Нацельтесь на результат. И забудьте о неудачах. Такой вещи, как неудача, в реальности просто не существует. Она есть только в наших мозгах. Неудача — это всего лишь ваша негативная оценка результата.

Есть только результат. И не пытайтесь делить результаты на хорошие и плохие. Любой результат — это просто результат. Используйте его в качестве обратной связи. Это сигнал о том, что пора расширить свои возможности, свое мировоззрение. Это прекрасная возможность обратить внимание на то, что вы раньше не заметили, чему не придали значения. Скорректируйте направление приложения своих сил и продолжайте действовать. Только действуйте спокойно, без суеты. Постарайтесь вообще не прикладывать каких-либо усилий. Если вы правильно сформировали Намерение и обладаете достаточной личной силой, то усилия вам вообще не понадобятся. Все произойдет само собой.

Сосредоточьтесь на том, что вы можете сделать еще, на имеющихся возможностях, а не на препятствиях.

Приведу отрывок из книги известного американского психиатра Милтона Эриксона «Мой голос останется с вами»[1].

«Я спросил студента: «Как пройти из этой комнаты в другую?»

Он ответил: «Сперва нужно встать, затем сделать шаг...»

Я остановил его и сказал: «Назовите все способы, какими можно перейти из одной комнаты в другую».

Он сказал: «Можно бегом, можно шагом, можно прыгая на одной ноге или на двух; можно проделывая сальто. Можно выйти из здания, обойти его снаружи и зайти в комнату через другую дверь. Если хочется, то можно залезть через окно...»

Я сказал: «Вы обещали мыслить масштабно, а сами допустили промах, серьезнейший промах. Когда я привожу этот пример, я обычно говорю: если мне нужно попасть из этой комнаты в ту, я бы вышел через эту дверь, поехал бы на такси в аэропорт, купил билет в Чикаго, оттуда полетел бы в Нью-Йорк, Лондон, Рим, Афины, Гонконг, Сан-Франциско, Гонолулу, Чикаго, Даллас, затем обратно в Финикс, подъехал бы к дому на лиму-

---

[1] Эриксон Милтон. Мой голос останется с вами / Пер. с англ. В.В. Турыгина. — М., 1995.

зине, вошел бы через задний двор, через черный ход, через заднюю дверь в эту комнату. А вы подумали только о движении вперед! И не подумали о движении в обратном направлении, ведь так? И к тому же забыли, что в комнату можно добраться ползком».

Студент добавил: «Или, разогнавшись, проехаться на животе».

Как же сильно мы ограничиваем себя в своем мышлении!»

Если вы хотите действовать в жизни эффективно, то научитесь добиваться тех результатов, которые вы выбираете.

И помните! С того самого момента, как вы заявили о своем Намерении, все и все в этом мире стремятся вам помочь. Все силы Вселенной на вашей стороне, а внутри вас есть все необходимые ресурсы для достижения цели.

Вы должны играть в жизни активную роль. Ваши действия на психическом и физическом плане воздействуют на некий механизм и приводят в действие таинственную и непостижимую Силу Намерения.

И ваше подсознание непосредственно связано с этой Силой. Оно, по сути, и есть эта Сила. Поэтому научитесь доверять своему подсознанию. Войдите с ним в прямой контакт, согласуйте с ним свое Намерение и попросите создать несколько способов для его осуществления.

Препятствия

Один из законов гласит: «Внешнее отражает внутреннее. Мы сами создаем свой мир своими мыслями и эмоциями, своим поведением». Получается, что любое наше желание должно тут же осуществляться. Тем более, что вы уже научились правильно формулировать свои цели. Почему же в реальной жизни происходит далеко не так? Почему мы постоянно сталкиваемся с какими-то препятствиями?

И что это за препятствия? Что может нам помешать приблизиться к заветной цели? Оказывается — это все те же наши отрицательные мысли и негативные установки. Одни мы получили с самого детства. Другие взяли на вооружение значительно позже. Эти мысли-блоки создают в нашем теле определенные напряжения и мешают энергии жизни свободно течь сквозь нас.

Враждебное отношение к окружающему миру — причина напряжения. Как только вы освобождаетесь от отрицательных убеждений, скорость вашей мысли нарастает. Препятствий больше нет. И вы легко достигаете своей цели.

Как-то один мой бывший пациент, который не так давно лечился у меня от алкоголизма, пришел ко мне, чтобы поделиться своими достижениями.

— Как ваше самочувствие? — спросил я его.

87

— Прекрасно! — ответил он радостно. — Пользуюсь в жизни вашей моделью. Избавился от многих отрицательных мыслей и установок. О спиртном даже и не вспоминаю. Но что самое интересное, — продолжает он взволнованно, — стоит мне что-либо захотеть, так это тут же осуществляется. Прямо мистика какая-то!

— Никакой мистики, — успокаиваю я его. — Просто вы освободились от массы ненужных и вредных убеждений, и помыслы ваши стали чище, и поэтому скорость мысли возросла во много раз.

Определите, какие препятствия есть на вашем пути. Сделайте это заранее, еще на стадии формирования Намерения. Это избавит вас от лишних хлопот. Поработайте со своими мыслями-блоками. Задайте себе вопросы:

Что может помешать мне осуществить мое намерение?

Какие могут возникнуть препятствия на моем пути?

Какие мысли нужно поменять, создать новые, чтобы приблизиться к цели.

Как вы уже поняли, все препятствия находятся внутри нас. Ведь внешнее отражает внутреннее.

И самое главное препятствие — это страх. Практически у каждого из нас есть какие-то страхи. Одни — явные (психиатры их называют фобиями), другие — скрытые (это тревога и беспокойство). Поэтому, если реализация вашего Намерения тормозится, сразу ищите внутри себя страх. Чтобы сделать это наверняка, войдите в состояние легкого или среднего транса и задайте своему подсознанию вопрос:

Что может произойти неблагоприятного для меня, если мое Намерение осуществится?

БОЛЕЕ ШИРОКОЕ
НАМЕРЕНИЕ

Для чего мне это нужно?

Если мое Намерение осуществится, что мне это даст?

Препятствия	ЖЕЛАЕМОЕ СОСТОЯНИЕ	Как я узнаю о
Что может помешать мне осуществить мое Намерение, какие негативные убеждения?	(Ваше Намерение. Результат, к которому вы стремитесь)	том, что получил/ получила желаемый результат?
Что может произойти неблагоприятного для меня, если мое Намерение осуществится?		Что увижу, услышу или почувствую, когда достигну своей цели?

Мелкий результат,
легко достижимый

В чем я нуждаюсь, чтобы мое Намерение осуществилось?

НАСТОЯЩЕЕ
СОСТОЯНИЕ

Рис. 4

Однажды ко мне за помощью обратился мой приятель.

— Помоги мне, пожалуйста, разобраться с такой проблемой, — попросил он меня. — Вот ты говоришь, что все препятствия в своей жизни мы создаем себе сами.

— Да, это так, — ответил я. — А в чем проблема?

— Вот уже в течение полутора месяцев я ищу помещение под офис, но никак не могу найти нужное. Постоянно возникают какие-то препятствия: или помещение сдают незадолго до моего прихода, или отказывают мне в аренде, или плата высокая. Я понимаю, что это что-то во мне мешает осуществить мое Намерение, но не могу понять, что именно.

В тот момент я куда-то торопился, поэтому попросил друга быть сегодня очень внимательным.

— Держи этот вопрос перед собой, и твое подсознание укажет тебе на препятствие. А завтра мы с тобой встретимся и все обсудим.

Мы договорились о встрече в одном кафе и расстались.

На следующий день мы встретились. Заказали себе по чашке чаю с лимоном.

— Я понял, в чем причина, — сказал мой друг торжествующе, когда мы сели за стол.

— И в чем же? — спросил я его.

— Это мои страхи. Я сделал вчера все так, как ты мне сказал. Я держал вопрос перед собой. Первый знак-подсказку я получил, когда днем пришел домой к родителям. Они начали меня расспрашивать о моих делах. Я сказал им, что ищу помещение под офис и хочу организовать свое дело. «Ты подумай, стоит ли заниматься этим, — сказал мне отец, — ведь придется платить рэкетирам».

— «Почему ты так считаешь?» — спросил я его и почувствовал внутри страх. «Ты же знаешь, что сейчас творится в стране», — ответил он. Тут в разговор вмешался старший брат: «Ты не спеши с помещением. Нужно сначала найти хорошую «крышу».

А вечером, когда я пришел домой, то получил второй знак. Я включил телевизор как раз в тот момент, когда там показывали сюжет об одной из бандитских группировок в Москве. Я сразу все понял. Во мне есть страх, что если я начну свое дело, то ко мне придут бандиты вымогать деньги и предлагать за это свою «крышу». А я не знаю, как себя вести в таких случаях.

— Все правильно, — подтвердил я. — С одной стороны, у тебя есть желание найти офис и открыть свое дело, а с другой — в тебе живет страх. И твое подсознание, защищая тебя, специально создает препятствия.

— Что же делать? — спрашивает меня приятель.

В этот момент принесли чай.

— Есть два варианта, — сказал я, раздавливая дольку лимона и размешивая сахар. — Первый — это отказаться от затеи и ничего не предпринимать. Устройся на государственную работу и живи на зарплату.

— Этот вариант меня не устраивает, — сказал приятель. — Я не хочу от кого-то зависеть и получать мизерную зарплату. Я хочу иметь свое дело и зарабатывать столько, сколько заслуживаю. Давай сразу второй вариант.

— Второй вариант очевиден, — сказал я, делая небольшой глоток из чашки. — Надо избавиться от страхов.

— Легко сказать, но как это сделать, когда страхи живут в нас с самого детства?

— Давай подумаем вот о чем, — предложил я ему. — Все страхи порождаются насилием и агрессией. Твои страхи указывают тебе на то, что в тебе присутствует враждебное, негативное отношение к рэкетирам, бандитам и преступникам вообще.

— Да, это так. А ты что, предлагаешь мне полюбить этих подонков?

— Насчет любви... не знаю. Думаю, до этого дело не дойдет, так как у тебя пока мало сил. Но принять ты их должен. Иначе придется отказаться от своего дела.

Было интересно наблюдать, как менялось выражение его лица.

— Ладно, я готов, — наконец сказал он. — Что мне нужно делать?

— Я уже сказал, что тебе необходимо отказаться от агрессии к бандитам и принять их. Сделать это непросто. Но другого выхода нет. И сделать это ты сможешь только в том случае, если поймешь, какую функцию они выполняют в этом мире.

— И какую же функцию выполняют эти люди? — спросил меня приятель, сделав саркастическое ударение на слове «люди».

— А очень важную, — ответил я. — Они учат людей не цепляться за деньги.

Судя по выражению лица, которое появилось у приятеля после моих слов, я сказал что-то непотребное.

— Объясни, — наконец выдавил он из себя и уставился в свою чашку, готовый внимательно меня слушать.

— Представь, что ты ставишь перед собой цель заработать как можно больше денег, — начал я. — И так увлекаешься этим, что забываешь о других сферах жизни. Что с ними начнет происходить?

— В других сферах пойдут проблемы, — задумчиво произнес приятель, медленно помешивая ложкой чай, пытаясь не задевать дольку лимона, плавающую на поверхности.

— Правильно. Сначала ты уговариваешь себя, что зарабатываешь деньги для семьи, для детей. Чтобы им жилось лучше. Но постепенно сам процесс делания денег настолько тебя засасывает в свою зеленую трясину, что совершенно не остается времени и внимания на себя и свою семью. Ты начинаешь работать на деньги и ради денег. И вот тут к тебе на выручку (в прямом и переносном смысле) приходят рэкетиры. Они буквально насильно отрывают тебя от денег, за которые ты зацепился. Эти

92

люди — не санитары, как их иногда называют. Это врачи от бога. И лечат они людей от жадности. И учат их делиться, учат щедрости. А за уроки надо платить. Другими словами, люди сами привлекают к себе бандитов своим отношением к деньгам.

— Да, звучит заманчиво, — сказал приятель, сделав глоток уже теплого чая. — Получается, что если я перестану цепляться за деньги, то рэкетиры никогда не появятся в моей жизни.

— Совершенно верно. Относись к деньгам не как к цели в жизни, а как к средству. Научись их брать и отдавать. И тогда они подарят тебе наслаждение. А к вымогателям ты сможешь относиться совершенно спокойно, без всякой агрессии, потому что тебе уже не понадобятся их услуги. Но самое главное — исчезнет страх, и ты сможешь начать свое дело.

Я думаю, что приятель понял меня, потому что через три дня после нашего разговора он нашел необходимое помещение и начал свое дело.

Вы задаете себе этот вопрос: «А что неприятное может произойти, если мое Намерение осуществится?» Вы направляете этот вопрос в свое будущее, и он, как разведчик, выслеживает все ваши страхи, тревоги и беспокойства.

А вот как избавиться от страхов?

Об этом написано в моей первой книге «Возлюби болезнь свою». Напомню, что страхи порождаются нашей агрессией, враждебным отношением к окружающему миру, а потому самым эффективным лекарством от любого страха является любовь и чистота помыслов.

Другое сильное препятствие — это наши сомнения и неуверенность. Они могут появиться на любом этапе. Не бойтесь сомнений. Сомнения — это наши союзники. Они укрепляют нашу веру.

Когда вы хотите стереть какую-то информацию в компьютере, то он переспрашивает вас: «А вы уверены, что хотите удалить этот файл в корзину?» Так действует и наше подсознание. И это имеет определенный смысл. Представьте, что длительное время в вас было сильно какое-то убеждение. И вдруг вы решили, что оно вам мешает и нужно его заменить на другое, новое и позитивное. И тогда подсознание посылает к вам СОМНЕНИЕ, которое переспрашивает вас: «А ты уверен, что это нужно тебе? Ведь придется что-то изменить в жизни. А может быть, оставим все как прежде? Ну подумай, зачем тебе все это! А ты уверен, что нужно поменять старые убеждения на новые, пускай даже и позитивные? Ведь жили мы с тобой и со старыми убеждениями, и ничего — живы до сих пор».

И вот тут все зависит от вашей реакции.

Первый вариант: вы можете послушаться пугающего голоса СОМНЕНИЯ и отступить на старые позиции. Тем самым вы упустите свой шанс изменить свою жизнь. Этот вариант — проявление слабости.

Другой вариант: прислушаться к СОМНЕНИЮ, поблагодарить его, усилить свою ВЕРУ и подтвердить свою готовность к изменениям. Этот вариант — проявление Силы.

Только помните! Ваше решение должно быть свободно от страха и честолюбия.

Обычно сомнения указывают на то, что вы что-то упустили при формировании своего Намерения. Поэтому проверьте правильность формулировки. Позаботьтесь об экологии ваших мыслей.

А может быть, вы боитесь перемен? Или отвергаете позитивный опыт прошлого. Или не верите в свои силы.

Недавно я проводил семинар-тренинг в Москве на одной солидной фирме. И один участник семинара задал вопрос:

— Валерий Владимирович! Вот вы говорите, что любое наше Намерение обязательно осуществится.

— Конечно, — подтвердил я. И добавил: — При условии, что оно правильно сформировано и помыслы ваши чисты.

— Ну хорошо, — продолжал он, — вот я хочу триста тысяч долларов.

При этих словах люди в зале оживились, заерзали на своих стульях.

— А почему именно триста, а не миллион? — спросил я.

— А потому что я уже все просчитал. Мне не нужен миллион долларов. Мне нужно именно триста тысяч. Так что, эти деньги так вот просто придут ко мне? Как говорится, «тарелочка с голубой каемочкой».

— Они придут к вам только в том случае, если вы готовы их принять.

— О, это я всегда готов, — сказал мужчина самодовольным тоном, слегка развалившись в кресле.

— А вот мы сейчас проверим, — сказал я, придвигаясь к нему поближе. — Скажите, за сколько лет, работая на этой фирме, вы соберете необходимую сумму? Даже если будете отказывать себе в каких-то удовольствиях?

Мужчина на минуту задумался.

— Ну, я думаю, лет за сорок, — ответил он.

— Вас это устраивает?

— Конечно нет! Я уже не молод, и мне хотелось бы получить эти деньги года через три.

— Тогда будьте готовы к тому, чтобы уволиться с этой работы, ведь у вас пока нет другого источника дохода.

— Как это — уволиться? — спросил он взволнованно. — А где же я сейчас найду себе другую работу, да еще и такую, чтобы за три года заработать такую сумму денег? Ведь вы же сами знаете, какая сейчас обстановка в стране с работой.

— Вот и получается, что вы сами не верите в эти триста тысяч долларов и даже боитесь их получить.

— Да, Валерий Владимирович, вы правы. Все препятствия внутри нас самих. Мне придется занизить сумму.

— Или поверить в себя, — добавил я.

— Да, это лучше. Мне это больше нравится!

Вообще, научитесь относиться к препятствиям как к благу. Не бойтесь их. Воспринимайте их с радостью. Они делают вашу жизнь интереснее. Они закаляют наш дух и волю, расширяют ум и заостряют его.

Как только появится какое-то препятствие на вашем пути, приветствуйте его и скажите себе: «Прекрасно! У меня есть возможность научиться чему-то новому». Когда вы преодолеваете препятствие, то становитесь сильнее, оно отдает вам свою силу. Постепенно вы научитесь преодолевать их с легкостью. Как говорил великий русский мыслитель Николай Рерих: «Благословенны препятствия — ими растем».

Упражнение
«УСТРАНЕНИЕ ПРЕПЯТСТВИЙ»

Чтобы выявить препятствия на вашем пути, погрузитесь в состояние легкого или среднего транса и задайте себе следующие вопросы:

Что может помешать мне осуществить мое Намерение?

Какие могут возникнуть препятствия на моем пути?

Какие мысли нужно поменять, создать новые, чтобы приблизиться к цели?

Что может произойти неблагоприятного для меня, если мое Намерение осуществится?

Вернитесь в обычное состояние сознания. Разбейте листок на две половины вертикальной чертой. Слева вы запишите свои старые, негативные программы, предубеждения, мысли-блоки, а справа — новые, позитивные программы, убеждения, новые мыслеформы.

Старые, негативные убеждения, мысли-блоки	Новые, позитивные программы

96

Например, вы сформировали такое Намерение: «Я устраиваюсь на работу. Это лучшая для меня работа. Она приносит мне моральное и материальное удовлетворение. Мое трудоустройство происходит в нужное время и в нужном месте».

Теперь задайте себе необходимые вопросы:

Что может помешать мне осуществить мое Намерение?

Какие могут возникнуть препятствия на моем пути?

Какие мысли нужно поменять, создать новые, чтобы приблизиться к цели?

Возможные препятствия:
• недостаток умений и навыков;
• негативное отношение, негативные предубеждения;
• вредные привычки;
• внутренние сомнения;
• страхи.

Отыщите свои, запишите их в левую колонку. Например:

Старые, негативные убеждения, мысли-блоки	Новые, позитивные убеждения
Я вряд ли смогу найти работу. В наше время это так трудно сделать. Сейчас столько безработных. Я уже много раз получал отказ. Людям кругом не выплачивают зарплату. У людей нет денег.	

Теперь составьте новые мысли и запишите их в правой колонке. Но помните: мало просто составить и записать новые мысли, их необходимо прочувствовать. Они действительно должны стать вашими новыми убеждениями. Вы должны верить в них.

97

Составьте новые убеждения с учетом некоторых принципов, о которых я уже писал:

● мысль должна быть позитивной (то есть без частицы «не»);

● в настоящем времени (то есть не «у меня будет», а «у меня есть»);

● от первого лица (то есть «я, мне, у меня, мое» и т. д.).

Старые, негативные убеждения, мысли-блоки	Новые, позитивные убеждения
	Все в своей жизни я создаю себе сам. Поэтому, будет у меня работа или нет, зависит только от меня. У меня есть необходимые знания, умения и опыт, которые требуются людям. Мои знания и умения востребованы. В этом мире обязательно существует нужная мне работа. Я создаю свое рабочее место. Работа есть всегда. Окружающие люди помогают мне найти нужную работу. Мне выплачивают зарплату вовремя, потому что я ценю себя и свой труд. Зарплата меня полностью удовлетворяет. У людей есть деньги. Каждый имеет столько денег, сколько заслуживает, сколько позволяют ему иметь его убеждения. У меня есть деньги. Мой доход постоянно увеличивается. Я помогаю людям, качественно выполняя свою работу, и они платят мне деньги.

Теперь представьте большой экран. Сначала на экране записаны ваши негативные мысли. Вы решаете их стереть и даете команду убрать эту информацию. Только обязательно поблагодарите старые мысли, ведь они помогли вам выжить в этом мире.

Экран очистился.

Теперь запишите новые, позитивные убеждения, проверьте их и сохраните в своей памяти. Это будет сильнее действовать, если каждой новой мыслеформе будет соответствовать свой яркий образ.

В конце закройте экран и отправьте его в подсознание.

Для тех, кому нравятся разные магические штучки, предлагаю следующий вариант. Разрежьте листок пополам и сожгите левую половинку со старыми мыслями-блоками. Это будет символизировать ваше очищение от старых, негативных убеждений. После этого возьмите стакан с чистой родниковой водой, наговорите на нее новые, позитивные убеждения и выпейте эту воду. Сделайте так три раза, обязательно рано утром, на восходе солнца. Новые мысли вместе с «заряженной» водой проникнут в вашу плоть и кровь. Ведь вода — это универсальный носитель информации. И поверьте мне, действует это сильнее всяких бабушкиных наговоров. Кроме того, вы таким образом автоматически освобождаетесь от так называемых «сглазов» и «порч». Ведь любой «сглаз» и «порча» — это, прежде всего, ВАША «отрицательная» энергия, которая хранится в подсознании в виде негативных установок и агрессивных эмоций.

Я думаю, вам станет значительно легче управлять собой, своими мыслями и настроением, если вы поймете одну простую истину: нам в этом мире ничто не принадлежит. Даже наши мысли. Не мысли владеют вами, а вы выбираете, какими мыслями пользоваться.

Последнее напутствие

Теперь о самом главном. Без этого все ваши упражнения с Намерением могут стать пустой затеей.

Речь пойдет о вашей заветной мечте, о цели и смысле вашей жизни.

На своих сеансах, семинарах и занятиях в Школе здоровья я часто спрашиваю людей:

«Какая ваша заветная мечта?», «Для чего или для кого вы живете?», «Для чего вам нужно здоровье?», «Вообще, для чего вы пришли в этот мир?». И многих эти вопросы просто ставят в тупик. Сидят взрослые люди, многие из которых прожили больше полувека, и не знают, как ответить.

А ведь этот вопрос мы должны были задать себе давным-давно, наверное тогда, когда нам было 15 или 17 лет. Для чего мы жили все эти годы? А самое главное — для кого?

Когда я задаю эти вопросы детям в школе, особенно в младших классах, то вижу лес рук. Практически каждый знает, чего он хочет добиться в жизни.

Что же произошло с нами, со взрослыми? Кто нас заколдовал? Может быть, потому люди и болеют, мучаются, убивают друг друга, что забывают о самом главном своем предназначении.

Шестеренка в часах нужна для того, чтобы четко и слаженно работал весь механизм. Если шестеренка или какой-то винтик перестанут выполнять свои функции, то мастер их заменит на новые.

Для чего живет клетка в организме? В чем ее задача? Что объединяет все клетки вместе?

Главная цель — жизнь всего организма. Если клетка справляется со своей задачей, то организм дает ей все необходимое для жизни, и такая клетка живет и процветает.

Человек — это такая же клетка единого организма Вселенной. И его главное предназначение — заботиться обо всем организме, чтобы он жил и процветал.

Человек живет в этом мире прежде всего для Вселенной. Для блага Земли, людей и Природы. И думать о себе, и совершенствовать себя человек должен именно для того, чтобы еще больше отдать для окружающих. Человек может быть здоров и счастлив только тогда, когда живет среди таких же здоровых и счастливых людей.

Именно поэтому заболевания сердечно-сосудистой системы и рак вышли на первое место. Люди разучились отдавать тепло своего сердца. Они замкнулись в себе и на себе, на своих желаниях. Их мировоззрение стало подобно поведению раковой клетки.

Люди забыли о своем главном предназначении. Предали свою мечту. И это, я считаю, самое страшное!

Ваши Намерения будут осуществляться быстро и легко тогда, когда они будут приближать вас к заветной мечте. Помните: ваш путь должен приносить вам радость. Подумайте, что вы можете делать очень хорошо и эффективно. В чем вы можете быть максимально полезны людям, своей родине, планете Земля?! В какой сфере жизни вы будете радоваться результатам своего труда вместе с окружающими? Начните делать это. Это и есть ваш путь, ваша судьба.

Существует поговорка: «Бойся исполнения своих желаний». А на Востоке говорят: «Если ты хочешь что-то получить, откажись от своих желаний».

Как это понимать? Ведь столько страниц в этой книге исписано именно для того, чтобы научить вас, уважаемый читатель, тому, как создавать На-

101

мерение и достигать осуществления своих целей и желаний. Почему же нужно бояться исполнения своих желаний или отказываться от них?

Молодая участница одного из моих семинаров спросила:

— Я заметила, что, как только какое-то мое желание исполняется, я вместо радости испытываю чувство неудовлетворенности и тоски. Мне кажется, что я упускаю что-то важное для себя.

— Марина, приведите пример, — попросил я ее.

— Ну, например, я хотела ездить на иномарке, и я ее получила. Я хотела купить новую квартиру, и теперь она у меня есть. Но радости мне это особой не принесло.

— А для чего вам нужны были все эти вещи? Что вы хотели получить для себя с их помощью? — спросил я.

Женщина на мгновение задумалась.

— Мне кажется, — ответила она, — я хотела с помощью этих вещей чувствовать себя более комфортно и уверенно.

— Вы знаете, — сказал я, — как-то два года назад я читал одну газету, и в ней меня заинтересовали интересные статистические данные. Оказывается, самый большой процент самоубийств среди населения в такой высокоразвитой стране, как Швейцария.

— Странно, — сказал кто-то из группы, — все у них есть. Чего им не хватает?

— Я думаю, именно потому, что у них есть все материальные блага, им и не хочется жить в этом мире. У них там, на Западе, настолько развита цивилизация, технократия, что постепенно люди, сами того не замечая, превратились в энергетический придаток машин и разных устройств. Фактически, они тратят свою драгоценную энергию жизни на существование и совершенствование мертвой техники. Человек стал своего рода батарейкой. Кто видел фильм «Матрица», легче поймет то, о чем я говорю. За чувством сытости и комфорта, которые дает так

называемая цивилизация со всеми своими благами, люди стали забывать о своем главном и божественном предназначении: творить и самосовершенствоваться. — Я обратился к женщине: — Скажите, Марина, а приобретение вами машины и квартиры помогло вам стать немножко другой?

— В каком смысле? — спросила она.

— Ну, может быть, в процессе приобретения вещей вы внутренне изменились. Например, избавились от каких-то своих комплексов, вредных привычек, стали добрее. Или помогли другим людям.

— Думаю, нет. Я просто заработала нужную сумму денег и купила вещи.

— Именно поэтому вы не испытывали особой радости. У вас нет действительно сто́ящей цели в жизни, такой, что даже одна мысль о ней уже приносила бы радость. Приобретение материальных вещей уводит вас от вашей заветной мечты все дальше и дальше, а потому радости не приносит.

Не зацикливайтесь на своих желаниях. Не будьте их рабами. Ибо чем сильнее ты привязываешься, тем больше ты можешь утратить. Помните, что любая вещь в этом мире — это еще не цель всей вашей жизни. Это всего лишь способ для вашей жизни, для осуществления вашего предназначения в этом мире.

Главное предназначение человека — творить и учиться. Ради творчества мы и приходим в этот мир. У каждого должна быть своя заветная мечта. Именно она и будет давать вам силы для жизни. Не страх за свое биовыживание, а страсть осуществить свою мечту.

Я убедился, что все проблемы у людей со здоровьем и в личной жизни возникают именно тогда, когда они останавливаются в своем развитии. Проблема как бы подсказывает, что человек «застрял» и нужно развиваться дальше.

Ну а как быть, если человек не знает своей мечты?

Мне часто приходится слышать от моих пациентов: «Доктор, мне поздно мечтать о чем-то». «Я не смогу осуществить это. Это нереально». «У меня нет цели в жизни. Я не знаю, для чего я живу». «Я забыл, о чем я мечтал. Я предал свою мечту».

Вспомните, о чем вы мечтали в детстве и юности. Подумайте, каким бы делом бы вы занимались, если бы у вас для жизни было все необходимое?

Многие люди отказываются от своей мечты из-за страха и сомнений и начинают заниматься таким делом, которое им неинтересно, но дает возможность выжить. То есть такие люди работают ради денег. А это тупиковый вариант.

Занимайтесь любимым делом, которое будет приносить вам и всем окружающим радость жизни. Работайте с душой и для души.

Никогда не предавайте свою мечту! Живите своей мечтой. И все силы Вселенной будут помогать вам в ее осуществлении.

Ваша конечная цель должна уходить в Бесконечность, за пределы этого мира. Для этого постоянно задавайте себе магический вопрос: «Для чего? Для чего мне нужно ЭТО? А ЭТО?» И так далее.

Еще одно очень важное напутствие! *Примите то, что есть у вас на данный момент.* Примите это с благодарностью. Научитесь довольствоваться тем, что имеете. В этом есть глубокий смысл.

Например, у вас есть работа, но она вас не устраивает: плохие отношения с начальством или сотрудниками, или мало платят, или вы не можете реализовать на ней свои творческие способности. Как быть?

В первую очередь — создать четкое позитивное намерение и способы для его осуществления. И начинать действовать. Причем действия должны быть как внутренними (избавление от негативных эмоций, работа с мыслями и убеждениями), так и внешними (просмотр объявлений, встреча с необходимыми людьми и т. д.).

Второе. С благодарностью принять ту работу, которая у вас уже есть. Если вы не сделаете этого, то на подсознательном уровне у вас останется негативное отношение к работе. Ведь там имеется старая негативная «запись»: «У меня маленькая зарплата», или «Мне не нравится моя работа». Эти мысли будут мешать вам в получении желаемой работы. Чтобы их «стереть», необходимо изменить свое отношение к той работе, на которой вы сейчас работаете. Полюбите эту работу и всех сотрудников. Ходите на нее с радостью. Это, безусловно, приблизит вас к желаемой цели, и вы поймете, что быть открытым и добрым — выгодно.

Человек не может отказаться от своих желаний. Но он может не цепляться за них. Именно поэтому, как только вы отказываетесь от *суетного* желания приобрести что-либо, это тут же входит в вашу жизнь, если оно вам действительно нужно. Это еще «срабатывает» и потому, что, отказываясь от своих суетных и беспокойных желаний, вы принимаете ту жизненную ситуацию, которая сложилась на данный момент времени.

Важна не только и не столько цель, сколько сам процесс ее достижения. Цель оправдывает средства только в том случае, если вы уверены в том, что ее достижение поможет вам и окружающим стать лучше.

«Тогда зачем же вся эта магия о создании Намерения?» — можете спросить вы.

Я объясню. Слово «жизнь» означает «процесс». Жизнь в нашем мире — это нескончаемый процесс осуществления наших Намерений: сознательных и подсознательных. А для того чтобы этот процесс приносил радость, мы четко должны знать результаты, к которым стремимся. А в остальном — доверьтесь Богу и своему подсознанию. И помните о том, что ваши сознательные желания должны соответствовать вашим подсознательным Намерениям.

Я хочу рассказать маленькую историю.

Один торговец отправил своего сына узнать секрет счастья у самого мудрого из всех людей. Юноша сорок дней шел через пустыню и наконец подошел к прекрасному замку, стоявшему на вершине горы. Там жил мудрец, которого он искал.

Однако, вместо ожидаемой встречи со святым человеком, наш герой вошел в залу, где все бурлило: торговцы входили и выходили, в углу болтали люди, небольшой оркестр играл сладкие мелодии и стоял стол, уставленный самыми изысканными кушаньями этой местности. Мудрец разговаривал с разными людьми, и юноше пришлось около двух часов дожидаться своей очереди.

Мудрец внимательно выслушал объяснения юноши о цели его визита, но сказал в ответ, что у него нет времени, чтобы раскрыть ему секрет счастья. И предложил ему прогуляться по дворцу и прийти снова через два часа.

— Однако я хочу попросить об одном одолжении, — добавил мудрец, протягивая юноше маленькую ложечку, в которую он капнул две капли масла: — Во время прогулки держи эту ложечку в руке так, чтобы масло не вылилось.

Юноша начал подниматься и спускаться по дворцовым лестницам, не спуская глаз с ложечки. Через два часа он снова пришел к мудрецу.

— Ну как? — спросил тот. — Ты видел персидские ковры, которые находятся в моей столовой? Ты видел парк, который Главный Садовник создавал в течение десяти лет? А ты заметил прекрасные пергаменты в моей библиотеке?

Юноша в смущении должен был сознаться, что он ничего не видел. Его единственной заботой было не пролить капли масла, которые доверил ему Мудрец.

— Ну что ж, возвращайся и ознакомься с чудесами моей вселенной, — сказал ему Мудрец. —

106

Нельзя доверять человеку, если ты незнаком с домом, в котором он живет.

Успокоенный, юноша взял ложечку и снова пошел на прогулку по дворцу, на сей раз обращая внимание на все произведения искусства, развешанные на стенах и потолках дворца. Он увидел сады, окруженные горами, нежнейшие цветы, утонченность, с которой каждое из произведений искусства было помещено именно там, где нужно. Вернувшись к мудрецу, он подробно описал все, что видел.

— А где те две капли масла, которые я тебе доверил? — спросил мудрец.

И юноша, взглянув на ложечку, обнаружил, что масло вылилось.

— Вот это и есть тот единственный совет, который я могу тебе дать: секрет счастья в том, чтобы смотреть на все чудеса света, никогда при этом не забывая о двух каплях масла в ложечке.

Одинаково важно уметь правильно формулировать свои Намерения, — так вырабатывается четкая позиция нашего сознания. И важен сам процесс реализации нашего Намерения. Этим уже занимается бессознательный разум.

Постановка целей — это всего лишь игра. Она нужна для того, чтобы возбудить внутри вас движение. Движение мыслей и эмоций.

Что будет, если взболтать стакан с водой, в котором на дне есть осадок? Правильно, вся муть всплывет на поверхность. Вот тут не зевайте! Разные чувства, эмоции и мысли «вылезут наружу» в виде каких-то событий, препятствий на вашем пути. Используйте все это для самосовершенствования, чтобы сделать родник вашей души кристально чистым. Конечный результат всего этого — обретение гармонии и целостности.

Если то, к чему вы стремитесь, и то, что вы делаете, помогает вам стать лучше и чище, приносит вам и окружающим радость, — вы на правильном пути.

— Доктор, — рассказывает мне один мой пациент, — я всю жизнь ишачил как про́клятый, вкалывал, чтобы обеспечить семью, дать детям образование. А что я имею к своим шестидесяти? Болезни, старость, маленькую пенсию. И нет радости в жизни. Почему так произошло, вы могли бы мне объяснить?

— Это произошло, прежде всего, потому, что вы забыли о себе самом.

— Да, это так, — соглашается мужчина, — о себе я практически не думал. Только о семье и работе.

— Вы забыли о том, что у вас есть свои цели в жизни, мечты, интересы. Я помню из детства один мультфильм, — продолжаю я. — Там Ходжа Насреддин хотел заставить идти своего ишака, но тот никак не хотел сдвигаться с места. Тогда хозяин привязал к палке морковку и поместил перед носом осла. Осел, обливаясь слюной, побежал вприпрыжку за морковкой. Хозяин достиг своей цели.

— Доктор, вы хотите сказать, что мы такие же ослы?

— А что, обидно?

— Есть немного.

— Мы в жизни, — продолжаю я, — уподобляемся и ослу и хозяину одновременно. Мы ставим перед собой цели (не важно какие: материальные или духовные) и пытаемся их достичь. И если мы видим перед собой только желанную морковку, то перестаем замечать окружающий мир. А ведь у каждого из нас есть шанс остановиться. Если ишак смекнет, что такая морковка недосягаема, то остановится и найдет у себя под ногами и траву и воду. Часто мы забываем в погоне за целью саму жизнь. Не нужно зацикливаться на цели, а нужно наслаждаться самим процессом жизни.

— Так, может, не бежать за этой морковкой?

— Ну что вы! Цель нужна обязательно, потому что нет цели — нет и движения. А нет движения — нет и жизни. Но посмотрите вокруг себя, вверх,

108

под ноги. Жизнь есть, а значит, есть и движение, и цель. Вся прелесть жизни — в движении.

Когда стремишься к цели, создаешь преграды, а преодолевая их, накапливаешь силу и получаешь радость преодоления, победы. Значит, растешь!

И еще один очень важный момент! Для создания и реализации Намерения нужно пребывать в особом состоянии души и тела. Это состояние — позиция хозяина своей жизни. Совершенно бесполезно говорить о Намерении, если вы чувствуете себя жертвой. Вы должны ощущать себя волшебником, творцом. Как выработать в себе это состояние шаг за шагом, речь пойдет в моих следующих книгах.

Для того чтобы достигать своих целей, осуществлять свои намерения, нужна еще и сила. Здесь речь идет не только и не столько о силе физической. Необходима внутренняя энергия особого тонкого плана, которую мы можем получить не только из пищи, воды, воздуха, но и через общение с людьми, с природой, звездами.

Обретение личной силы — это постоянная работа над собой. Это избавление от всевозможных страхов, комплексов неполноценности, чувства вины. И это, прежде всего, взятие на себя ответственности за свою жизнь, за свой мир.

Взять на себя ответственность за свою жизнь означает полный отказ от обвинений окружающих и себя самого, освобождение от жалости и сожалений, от критики, осуждений и ненависти. Если вы берете на себя ответственность, то начинаете жить полной и сильной жизнью. Вы перестаете играть роль палача или жертвы. Вы становитесь мастером, хозяином своей жизни. И никто уже не сможет заставить вас страдать, никакие сглазы и порчи не будут на вас действовать. Вы сами будете выстраивать события в своей жизни так, как захочется вам. Вы будете создавать особое пространство вокруг себя, которое поможет меняться окружающим людям.

В заключение хочу опубликовать стихотворение, которое мне прислала моя читательница из города Тернополя Ирина Валентиновна Иконникова. Как она мне написала в письме, это стихотворение родилось в ее душе экспромтом, после прочтения первого издания книги «Сила Намерения».

Земная женщина на рубеже столетий
Не выставляет чувства напоказ.
Но я решаюсь заявить на всю планету:
Я так хочу! Но здесь и лишь сейчас!

Откинув все сомнения и страхи,
Души познать желая глубину,
Отныне я с невиданным размахом
За свою жизнь ответственность беру.

Мой первый шаг нетороплив и робок.
Мечты фантом сверкает впереди...
И подсознание зеленым светофором
Дает благословение идти.

Правила строги и нет разрешения
На завтра отложить заказ.
Сила желания — в данном мгновении.
Точка опоры — всегда внутри нас.

Я заклинаю мое Намерение:
В нужном месте и в лучший мой час
Я живу в изобильной Вселенной,
Неведомо только который раз.

Люблю всем сердцем и сама — любима.
Свершения мои направлены Добру.
И Высший Разум я душой смиренной
За испытаний груз благодарю.

3—6 января 2001 г.

Ирина, спасибо Вам!

Резюме

10 ШАГОВ К ЗАВЕТНОЙ ЦЕЛИ

Давайте подведем итоги. И чтобы вам легче было ориентироваться, выделим основные шаги и правила создания и реализации Намерения.

Шаг 1. Четко сформулируйте свое Намерение.

«Я заявляю о своем Намерении: ...»

Для этого воспользуйтесь основными правилами:

Правило 1. Ваше Намерение должно быть сформулировано позитивно.

Правило 2. Ваше Намерение должно быть сформулировано в настоящем времени.

Правило 3. Ваше Намерение должно быть сформулировано от первого лица.

Внимание! Когда вы заявляете о своем Намерении, то исходите из принципа изобилия — *«Я живу в изобильной Вселенной!».*

Ваше Намерение должно быть твердым! Отбросьте всякие сомнения и беспокойства в том, что вы получите желаемое.

Шаг 2. Представьте свое Намерение.
Создайте яркий и четкий образ себя в будущем и того, что вы хотите иметь. Визуализируйте ко-

нечный результат. Сделайте это настолько конкретно, насколько возможно. Используйте свое воображение, творчество и фантазию. Ответьте на такие вопросы:

Как я узнаю о том, что получил/получила желаемый результат?

Что увижу, услышу или почувствую, когда достигну своей цели?

Каковы будут мое поведение, мысли и чувства, когда я достигну желаемого состояния?

Ваше Намерение должно побуждать вас к действиям.

Напитайте свое Намерение приятными эмоциями, чтобы оно влекло за собой.

Задайте себе вопросы:

Для чего мне это нужно?

Если мое Намерение осуществится, что это даст приятного и полезного мне и окружающим людям?

Шаг 3. Определите размеры своего Намерения. Ваше Намерение должно иметь реальные размеры.

Оно может быть слишком большим, и тогда его следует разбить на несколько более мелких, легко достижимых.

Возможно, поставив перед собой какую-то цель, вам придется несколько раз переформулировать свое Намерение, пока вы не придете к тому, что первый шаг примет реальные размеры, и вы сможете действовать. Помните известную поговорку: «Путь даже в тысячу ли начинается с первого шага».

Шаг 4. Определите необходимые ресурсы. У вас есть все необходимые ресурсы для осуществления вашего Намерения. *Сила всегда находится внутри вас. И точка опоры всегда находится в настоящем моменте.* Нужно только осуществить к этим ресурсам доступ. Для этого спросите себя:

В чем я нуждаюсь, чтобы мое Намерение осуществилось?

112

Ресурсы могут быть внутренними и внешними. *Внутренние ресурсы* — это, например, позитивный настрой, уверенность, ваши особые умения, знания и таланты. *Внешними ресурсами* могут быть деньги, знания, связи. В любом случае внешние ресурсы зависят от ваших внутренних убеждений.

Шаг 5. Определите первые шаги и начинайте действовать.

Если ваши Намерения серьезны, определите первые шаги и действуйте. Помните, в зачет идут только действия.

Ваши действия должны быть как внутренними (избавление от агрессивных эмоций, работа с негативными мыслями и убеждениями), так и внешними (конкретные физические усилия, встреча с необходимыми людьми и т. д.).

Возьмите на себя стопроцентную ответственность за осуществление своего намерения.

Все события в своей жизни мы создаем сами, поэтому перестаньте обвинять, осуждать и обижаться. Ни вы, ни кто-либо другой не виноваты в том, что у вас чего-то нет. Виноватых не существует вообще.

И если человек не реагирует так, как вам хотелось бы, возьмите ответственность на себя и действуйте. Подумайте, что вам необходимо сделать, чтобы вызвать нужную вам реакцию. Это связано с гибкостью.

Что я должен/должна сделать, чтобы получить то, что я хочу?

Какой должен быть мой первый и следующий шаг?

И помните! С того самого момента, как вы заявили о своем Намерении, все и все в этом мире стремятся вам помочь. Все силы Вселенной на вашей стороне, а внутри вас есть все необходимые ресурсы для достижения цели.

Вы должны играть в жизни активную роль. Ваши действия на психическом и физическом плане воздействуют на некий механизм и приводят в действие таинственную и непостижимую силу Намерения.

Ваш путь должен приносить вам радость.

Сформулировав Намерение в будущем, вы ставите перед собой задачу в настоящем, и, наоборот, любая проблема в настоящем может быть превращена в Намерение в будущем.

Осуществление вашего Намерения — это путешествие от настоящего состояния к желаемому. Это ваш жизненный путь. Представьте, что на этом пути будут препятствия, которые закалят вас и сделают сильнее, встретятся разные люди, у которых вы будете учиться чему-то новому и совершенствоваться.

У вас должно быть желание совершить это путешествие. И вы должны верить в то, что цель является достижимой и стоит того, чтобы ее достигать.

Обязательно занимайтесь в жизни тем, что вам интересно.

Проявляйте любопытство и не переставайте удивляться!

Шаг 6. Определите, какие препятствия есть на вашем пути, и устраните их.

Сделайте это заранее, еще на стадии формирования Намерения. Это избавит вас от лишних хлопот. Задайте себе вопросы:

Что может помешать мне осуществить мое Намерение?

Какие могут возникнуть препятствия на моем пути?

Что может произойти неблагоприятного для меня, если мое Намерение осуществится?

Поработайте со своими мыслями-блоками. Для этого поменяйте старые, негативные убеждения и установки и создайте новые, которые приблизят вас к цели.

Какие мысли нужно поменять, создать новые, чтобы приблизиться к цели?

Шаг 7. Будьте внимательны.

Вам нужна острота и чувствительность для того, чтобы заметить, продвигает ли вас то, что вы делаете, к тому, чего вы хотите.

Вы должны быть очень внимательны к себе. Прислушивайтесь к голосу интуиции и своим чувствам. Почаще обращайтесь внутрь себя. И в то же время *будьте внимательны к окружающему миру*, к поведению и реакциям людей. Держите свои чувства открытыми, чтобы заметить, что вы верно движетесь по пути осуществления своих Намерений, к желаемому результату. Обращайте внимание на все знаки, которые попадаются вам на вашем пути.

Шаг 8. Проявляйте гибкость в поведении и мышлении.

Вы должны быть очень гибким человеком и менять свои действия до момента получения того, чего вы хотите.

Существует золотое правило: «Если то, что вы делаете, не срабатывает, сделайте что-нибудь другое».

Если дверь не открывается в одну сторону, попробуйте открыть ее в другую.

Чтобы осуществить свои Намерения, вам необходимо не только слышать, видеть и ощущать то, что происходит, но и иметь запас разнообразных реакций и быть готовыми поменять свое поведение.

Если вы не меняете своего поведения, то всегда будете получать одно и то же.

Запомните! Контролировать ситуацию будет тот человек, у которого бо́льшая гибкость поведения.

Шаг 9. Позаботьтесь о чистоте своих помыслов.

Осуществление вашего Намерения должно быть благоприятно для вас и окружающего мира.

Помните, что ваше Намерение — это не то, что вы хотите получить в ущерб другим. *Убедитесь, что ваше Намерение находится в полной гармонии с вами, как с цельной личностью, и с окружающим миром.* То, что вы получите в результате, должно улучшить не только вашу жизнь, но и жизнь других людей.

Шаг 10. Определите место и время осуществления своего Намерения.

Помните! Ваше Намерение осуществляется в нужное время и в нужном месте.

Предоставьте своему подсознанию возможность выбрать место и время осуществления вашего Намерения. Оно просчитает все возможные варианты самым лучшим образом.

Просто обратитесь внутрь себя, к своему подсознательному разуму, и попросите: «Подсознание, определи самое оптимальное время и самое лучшее место для осуществления моего Намерения».

Прощание

Поздно вечером Великий Магистр и Христиан поднялись на стену древней крепости. С этого места был виден весь город. Город спал. Светила полная луна, и звезды были необыкновенно яркими.

— Странно, — подумал Христиан, — почему я никогда раньше не обращал внимания на звезды? Они такие красивые. И каждая светит мне, пытаясь сообщить что-то сокровенное.

Великий Магистр тоже смотрел на звезды. В какой-то момент Христиану показалось, что он разговаривает с ними.

— У каждого человека, Христиан, — прервал молчание Алхимик, — есть своя Личная Легенда, свой путь — это Путь Духа. Он отмечен звездами. Очень важно правильно прочитать этот путь и следовать ему. Тот, кто следует своей Личной Легенде, становится творцом своей судьбы и познает радость беспредельного совершенствования.

117

— Но как мне узнать об этом пути? — спросил Христиан.

— Научись правильно читать знаки, которые отмечают твой путь.

— И все?

— Нет, не все. Главное — чтобы в тебе всегда горела великая жажда жизни и познания. И будь бдителен. Этот материальный мир пытается убаюкать бессмертный человеческий дух. И это ему отчасти удается. Человек в погоне за материальными благами и комфортом забывает о своем великом предназначении. И только перед смертью, которая уравнивает всех: и королей и нищих, человек вдруг вспоминает, что забыл сделать что-то очень важное в своей жизни. И это что-то даже приоткрывается ему на какое-то мгновение... Но уже поздно! У такого человека не остается сил. Только щемящая боль в груди.

Воспитай свое сердце, — продолжал Великий Магистр. — Научись его слушать. Тогда оно станет твоим лучшим другом и советником. Поможет прочитать знаки, расскажет о шуме ветра и дождя, поведает о великих тайнах Вселенной. Твое сердце — самая главная алхимическая печь. Добро и зло твоих мыслей, попадая в него, переплавятся в Великом Делании Жизни в красоту и гармонию единой Вселенной.

Слушай свое сердце, — повторил Магистр. — На языке твоего сердца говорит весь мир!

Наступило молчание. Христиан не решался прервать его. Да и не смог бы, потому что после слов Великого Магистра у него не было ни одной мысли. Просто пустота. Внутренняя тишина.

И вдруг в этой тишине Христиан услышал свой внутренний голос. Этот голос сообщил ему о том, что сегодня Великий Магистр покинет этот мир.

Это нельзя было назвать мыслью. Это был голос сердца. Христиан понял, что раньше он уже слышал этот голос. Эти моменты были очень редки, но они запомнились ему именно потому, что все, что говорил ему голос его сердца, всегда сбывалось.

— Я должен покинуть этот мир, — произнес Великий Магистр с еле заметными нотками грусти в голосе. — И я сделаю это сегодня. Этот мир, который дарил мне счастье и радость, становится тяжел для меня. Я любил его, и он любит меня. Он дарит мне этот прекрасный вечер, этот теплый ветер, необычную яркость звезд. И даже Луна готова служить мне. Но сегодня я не воспользуюсь их услугами. Этой ночью я прощаюсь с ними. И я хочу, чтобы пошел дождь.

От слов Великого Магистра у Христиана появилась щемящая боль в груди и слезы навернулись на глаза. Нет. Он не хотел плакать. Но слезы сами катились по его щекам. Они попали на его губы, и Христиан ощутил их вкус. Странно! Но слезы не были солеными.

Дождь!

Как же Христиан сразу не догадался?! Ведь это был дождь! Теперь, выходя из своего транса, он явственно ощущал, как теплые капли дождя нежно гладят его лицо и руки.

— Это Мир плачет, — еле слышно произнес Великий Магистр. Его голос слегка дрожал. — Он отражает мою глубокую печаль от расставания с ним. И я бесконечно благодарен ему за это.

Христиан продолжал плакать. Он не хотел, да и не мог остановить слезы. Они смешивались с каплями дождя и стекали по его щекам. И ему было все равно: плачет ли это он, или окружающий мир, или это просто дождь.

— А теперь оставь меня, — попросил Великий Магистр, обращаясь к Христиану.

Но юноша не сдвинулся с места.

— Христиан, — сказал Великий Магистр уже спокойным и твердым голосом. — Мне нужно остаться наедине с самим собой. Спускайся вниз и заверши свое Великое Делание. Я передал тебе все необходимые алхимические ключи. Когда-ни-

119

будь и тебе придется проделать то же самое — прощаться с этим миром. А пока живи, радуйся жизни и люби этот мир. Поверь мне, он стоит этого. Это твой мир.

Христиан пришел в себя. Вытер ладонью лицо от влаги и направился к лестнице.

Дождь стихал.

По мере того как он опускался ниже и ниже по ступенькам, он чувствовал, как тяжесть за грудиной сменяется легкостью.

Последнее, что он запомнил, — это темный силуэт Великого Магистра на фоне Луны с развевающимися на ветру полами плаща.

Дождь закончился. Мир уже не плакал. Мир радовался! Радовался рождению нового мага!

Послесловие

Вот и закончились наши уроки по овладению Искусством создания и управления Намерением. Теперь вы обладаете всеми необходимыми знаниями, с помощью которых сможете изменить качество своей жизни. Осталось только применить эти знания на практике.

Желаю вам успехов!

До встречи в следующих книгах.

Содержание

ОБ АВТОРЕ

Автор книги — доктор Синельников Валерий Владимирович, гомеопат, психотерапевт, практический психолог. Разработал простые и доступные психологические методики и стратегии, такие, как «Новая модель медицины», «Новая психологическая модель — модель Хозяина», «Метод погружения и подсознательного программирования», «Искусство эффективного взаимодействия с окружающим миром, или Психоэнергетическое Айкидо», «Договор с болезнью», «Искусство создания и управления намерением», «Прививка от стресса» и другие.

Его книги обладают целебными свойствами. Они дарят здоровье телу, спокойствие душе и гармонию жизни. Для многих читателей книги доктора Синельникова стали настольными.

В настоящее время доктор работает над новыми книгами, читает лекции, проводит учебно-практические семинары, индивидуальные сеансы и семейные консультации.

Доктор Синельников ведет частную медицинскую практику в г. Симферополе — лечит детей и взрослых: диатезы, аллергии, кожные болезни, хронические заболевания органов дыхания (бронхиты, аденоиды, синуситы, ангины), сердечно-сосудистой системы, органов пищеварения (гастриты, язвы, холециститы, желчно-каменную болезнь, болезни кишечника), почек (нефриты, циститы, мочекаменную болезнь), женские болезни (миому матки, мастопатию, предменструальный синдром, маточные кровотечения, вагиниты, аднекситы, климакс), мужские болезни (аденому простаты, простатиты, уретриты), заболевания суставов, опухоли.

Обучая специальным психологическим стратегиям, лечит заболевания нервной системы и психики: невралгии, мигрени, судорожный синдром, страхи, неврозы, депрессии, бессонницу, ночное недержание мочи, последствия стрессов, полноту, алкоголизм, сексуальные проблемы; проводит консультирование семьи.

УЧЕБНО-ПРАКТИЧЕСКИЕ СЕМИНАРЫ

Доктор Синельников проводит семинары-тренинги, на которых обучает своей модели и уникальным психологическим методикам и стратегиям.

ПСИХОЛОГИЧЕСКАЯ МОДЕЛЬ
ДОКТОРА СИНЕЛЬНИКОВА

I ступень

«Новая психологическая модель и метод подсознательного программирования»

Темы семинара-тренинга по I ступени:

Новая модель сознания — модель «Хозяин (Волшебник)». Вы познаете законы Вселенной, по которым строится наша жизнь. Научитесь использовать эти законы для улучшения своего здоровья и материального благополучия. Освоив новую психологическую модель, вы перестанете играть роль жертвы или палача и сможете стать хозяином своей жизни.

Метод погружения и подсознательного программирования. Вы окунетесь в тайны своего сознания и подсознательного разума. Научитесь выявлять скрытые внутренние причины своих болезней и стрессовых ситуаций. Узнаете о главном законе самоисцеления. Методика работы со своим подсознанием, разработанная доктором Синельниковым, поможет вам избавиться от многих болезней и проблем.

Путь через здоровье. Что такое здоровье? Здоровье и болезнь. Формирование образа здоровья. Групповое создание образа здоровья для каждого участника семинара.

Как работать над собой. ...Не факт здоровье нам крушит, но к факту наше отношенье, разнузданность воображенья, неуправляемость души... Вы научитесь управлять своими эмоциями и мыслями. Сможете избавиться от таких патологических черт характера, как раздражение, злость, зависть, ревность, обидчивость и других (если они у вас есть). Вместе мы расправимся со страхами, неврозами и унынием.

Избавление от вредных привычек. Многие скажут, что вредные привычки — это курение, чрезмерное употребление спиртного. Ну а как насчет переедания, или привычки кричать на близких, или обижаться? С помощью метода подсознательного программирования вы сможете быстро и легко избавиться от старого поведения и создать новые добрые привычки.

Ведение дневника. Ведение дневника — это одна из разновидностей работы над собой. Это мощное средство самоконтроля, прекрасный способ сосредоточить свое внимание и энергию на процессе излечения, укрепить силу воли. Это еще одна новая добрая привычка. Ведение дневника — это честный разговор с самим собой, который позволит раскрыть свою душу, найти и понять самого себя и свое место в этом мире.

Боль — это сигнал нашего подсознания о внутреннем неблагополучии. Стоит ли сразу глотать таблетки? Как правильно реагировать на боль? Используя специальную стратегию, вы научитесь устранять многие болевые ощущения.

Договор с болезнью. Это новая методика доктора Синельникова, изучив которую вы сможете заключить договор с любой болезнью. Вам не будут страшны вирусные инфекции, рак, туберкулез и многие другие заболевания, которыми вы боитесь заболеть.

Создание собственной системы оздоровления. Сейчас так много разных систем оздоровления! Одна рекомендует пить мочу, другая — есть только растительную пищу, третья — голодать. Есть и другие. Какой из них воспользоваться? Как не запутаться в таком разнообразии? А может быть, создать собственную систему здоровья, прислушиваясь к своей интуиции?

Работа со своим мозгом. Наш мозг одинаково быстро обучается и плохому, и хорошему. Вопрос в том, как и чему его обучить? Вы узнаете о новейших психологических стратегиях, которые помогут вам легко и быстро избавляться от навязчивых мыслей и воспоминаний. Вы научитесь быстро переводить себя из одного эмоционального состояния в другое. Сможете изменить отношение ко многим неприятным событиям прошлого.

Как работать с мыслями. Наше здоровье и благополучие зависят от того, какие мысли в нашем подсознании. Как избавиться от вредных и негативных мыслей? Создание новых и позитивных мыслей с помощью новой модели человеческого сознания.

Глубокая релаксация тела и сознания. Одна из причин многих проблем со здоровьем — это внутреннее напряжение. Вы научитесь глубокому расслаблению тела и сознания, и энергия жизни будет свободно проходить по вашему телу.

Сон и сновидения. Толкование снов. Закладка программ во сне. Использование сновидений для оздоровления организма.

А также в программе семинара:

Специальная гимнастика. Дыхание. Стойки. Гимнастика для глаз. Динамическая медитация. Энергетические упражнения. Управление своей энергией.

ПСИХОЛОГИЧЕСКАЯ МОДЕЛЬ ДОКТОРА СИНЕЛЬНИКОВА

II ступень

«Искусство эффективного взаимодействия с окружающим миром, или Психоэнергетическое Айкидо»

Темы семинара-тренинга по II ступени:

Весь мир — театр. С самого детства мы хорошо усвоили роль жертвы или палача. Если вы устали от этой роли и хотите стать хозяином своей жизни, то вам поможет новая психологическая модель и специальные техники доктора Синельникова. Взяв на себя ответственность за свой мир, вы сможете сделать свою жизнь действительно интересной.

Искусство создания и управления намерением. Вы научитесь четко формулировать свои намерения, быстро достигать поставленных целей с минимальными затратами душевных и материальных сил, создавать такие события в своей жизни, которые будут приносить вам радость. Как преодолеть препятствия на пути осуществления намерения? Разбор конкретных ситуаций из жизни.

Создание намерений в сфере здоровья, денег, работы, отношений.

Искусство эффективного взаимодействия с окружающим миром, или Психоэнергетическое Айкидо. Эта система разработана доктором Синельниковым специально для того, чтобы позитивно реагировать на стрессовые ситуации и извлекать из них силу. Благодаря этой системе вы избавитесь от негативных мыслей, из вашей жизни уйдут стрессы, и все события вы будете воспринимать либо как приятные, либо как полезные.

Прививка от стресса. Что делать, когда события складываются не так, как хотелось бы, и на ум приходят негативные, тревожные мысли. Сделайте «прививку» по методу доктора Синельникова — и вы избежите многих неприятностей в жизни.

Обратная связь в жизни и система знаков. Что нам обычно советуют, когда мы сталкиваемся с какими-то неприятностями или непонятными вещами? «Да плюнь ты на это!», «Не обращай внимания!», «Забудь об этом!». Это самые вредные советы, какие только можно дать человеку. Освоив специальную методику, вы сможете позитивно реагировать на различные жизненные сигналы и знаки. Вы разовьете свою внимательность и реакцию настолько, что сможете управлять развитием событий в своей жизни. Каждый участник семинара получит свои ключевые формулы успеха.

Искусство эффективного общения, или Как стать коммуникабельным. Как установить хороший контакт с людьми и присоединиться к их модели мира? Как научиться лучше понимать людей и оказывать на них положительное влияние? Вы сможете с успехом использовать полученные знания в различных сферах жизни: в общении с близкими, в работе. Ваше поведение станет гораздо гибче. А как известно, владеет ситуацией тот, кто обладает большим выбором в поведении.

Получение информации и ее обработка. Известно, что количество информации каждый год растет в геометрической прогрессии. Как не утонуть в информационном потопе? Как правильно реагировать на информацию, которая поступает к нам со страниц книг и газет, с экрана телевизора, в общении с людьми? И как быстро добыть нужную информацию?

Чтение мыслей. С помощью новой модели вы сможете узнавать о сокровенных мыслях любого человека. Это просто и доступно каждому.

ШКОЛА ЗДОРОВЬЯ И РАДОСТИ ДОКТОРА СИНЕЛЬНИКОВА

Представляет

Учебно-практический семинар «Путь через здоровье»

Впервые доктор Синельников проводит семинар сразу по двум ступеням!

На первой ступени вы окунетесь в тайны своего подсознательного разума. Научитесь выявлять скрытые внутренние причины своих болезней и стрессовых ситуаций. И узнаете о главном законе самоисцеления.

Вы познакомитесь с новой моделью человеческого сознания. Перестанете играть роль жертвы и сможете **стать хозяином своей жизни.**

Метод погружения и подсознательного программирования поможет вам установить контакт со своим подсознанием и выявить причины недугов.

Вы научитесь управлять своими эмоциями и мыслями. Сможете избавиться от вредных привычек и таких патологических черт характера, как раздражение, злость, зависть, ревность, обидчивость и других (если они у вас есть). Вместе мы расправимся со страхами, неврозами и унынием.

На второй ступени вы познакомитесь **с законом управления намерением.** Научитесь четко формулировать свои намерения, быстро достигать поставленных целей с минимальными затратами душевных и материальных сил, создавать такие события в своей жизни, которые будут приносить вам радость. Разбор конкретных ситуаций из жизни. **Создание намерений в сфере здоровья, денег, работы, отношений.**

Психоэнергетическое Айкидо, или искусство эффективного взаимодействия с окружающим миром. Эта система разработана доктором Синельниковым специально для того, чтобы позитивно реагировать на стрессовые ситуации и извлекать из них силу. Благодаря этой системе вы избавитесь от негативных мыслей, из вашей жизни уйдут стрессы, и все события вы будете воспринимать либо как приятные, либо как полезные.

Прививка от стресса. Что делать, когда события складываются не так, как хотелось бы, и на ум приходят негативные, тревожные мысли. Сделайте «прививку» по методу доктора Синельникова — и вы избежите многих неприятностей в жизни.

Боль — это сигнал нашего подсознания о внутреннем неблагополучии. Стоит ли сразу глотать таблетки? Как правильно реагировать на боль? Используя специальную стратегию, вы научитесь устранять многие болевые ощущения.

А также в программе:
— Договор с болезнью.
— Создание собственной системы оздоровления.
— Обратная связь в жизни и система знаков.
— Глубокая релаксация тела и сознания.
— Использование сновидений для оздоровления организма.
— Получение информации и ее обработка.

БОЛЬШОЙ СЕМИНАР ДОКТОРА СИНЕЛЬНИКОВА НА ЮЖНОМ БЕРЕГУ КРЫМА

Семинары на Южном берегу Крыма — это новая форма обучения. Это не только получение новых знаний, но также прекрасный отдых в живописном уголке Крыма в кругу единомышленников. Это возможность отвлечься от повседневных забот и более тщательно проработать вопросы, которые вас волнуют. Это замечательное настроение и обретение новых друзей.

Проведение таких семинаров планируется каждый год.

Размещение и питание на базе уютного, недорогого и комфортабельного пансионата.

Время проведения семинара: с 1 по 10 июня.

Стоимость семинара:

Участие — 100 у. е.

Проживание и питание — от 100 до 250 у. е. (в зависимости от класса номера).

Семинар будет проходить сразу по двум ступеням!

Точное место сбора и время начала семинара сообщаются заранее, после получения заявки.

Как попасть на семинар?

Прислать заявку на участие в семинаре по адресу:

(Обратите внимание! Изменился адрес для писем!)

Синельникову Валерию Владимировичу,

а/я 1592,

г. Симферополь-34,

95034, Крым, Украина.

Или позвоните по телефону: (0652) 297-621 (с 18 до 20 часов).

Заявку прислать заранее — до 30 апреля.

ШКОЛА ЗДОРОВЬЯ И РАДОСТИ ДОКТОРА СИНЕЛЬНИКОВА

Дорогие мои читатели и единомышленники!

Я приглашаю вас пройти обучение в Школе Здоровья и Радости.

В программе Школы: занятия по специальным методам доктора; искусство быть здоровым; новая психологическая модель; умение позитивно реагировать на стрессовые ситуации; обучение новейшим психологическим стратегиям и многое другое. Будут предложены методические пособия, видео- и аудиоматериалы.

Приглашаю к сотрудничеству врачей, психологов и преподавателей с перспективой открытия филиалов Школы в других городах.

СПЕЦИАЛЬНЫЕ ПРОГРАММЫ ДОКТОРА СИНЕЛЬНИКОВА

1. Видеотренинг с доктором

Метод погружения и подсознательного программирования на видеокассете.

Для тех читателей, которые хотят самостоятельно овладеть одной из уникальных методик доктора — методом погружения и подсознательного программирования.

В программе:
— интервью с доктором;
— установление контакта с подсознанием;
— метод погружения и подсознательного программирования.

2. Интерактивный справочник по гомеопатии (на диске)

— Полный патогенез гомеопатических лекарственных средств.
— Большой реперториум.
Результат многолетней практики!
Справочное руководство по гомеопатии доктора Синельникова в трех томах — на одном диске!

3. Программа «Йога для беременных»

Роды — это не только естественный физиологический процесс, но и совместное духовное переживание мамы и малыша.

И как будут протекать ваши роды, зависит только от вас. От вашего умения владеть своим телом, расслабляться, правильно дышать, то есть от вашей физической и психологической готовности к рождению ребенка.

При помощи специальных растягиваний мы укрепим мышцы, которые принимают активное участие в родовой деятельности.

Освоим глубокое диафрагмальное дыхание.

Научимся расслаблять тело и сознание.

Разучим различные дыхательные методики, используемые при схватках и потугах.

Во второй части вы увидите комплекс растягиваний в первые 6 недель после родов.

В программе:

— видеокассета с упражнениями «Йога для беременных»;

— аудиокассета «Мадонна с младенцем» со специальным психологическим тренингом.

Автор и ведущая программы — Людмила Синельникова.

4. Программа «Очищение и оздоровление организма»

6-дневная программа очищения организма от шлаков, солей и камней с помощью гомеопатического комплекса «Ручеек» на основе трав и минералов. Восстановление обмена веществ, укрепление иммунитета, избавление от хронических заболеваний. Обретение физического и душевного равновесия.

В программу входит:

— методическое руководство по очищению;

— гомеопатический комплекс «Ручеек»;

— аудиокассета со специальным настроем на очищение и оздоровление организма.

5. Программа «Идеальный вес»

Для многих людей, страдающих от лишнего веса, еда — вроде успокоительной таблетки. А иногда и единственная радость в жизни.

Поэтому, для того чтобы обрести свой идеальный вес, лечение нужно начинать не с желудка, а с головы. Это работа над эмоциями, умение управлять собой и своим аппетитом, наука о правильном питании.

И самое главное золотое правило: вы едите для того, чтобы жить, а не живете для того, чтобы есть.

В программу входит:

— методическое руководство по обретению идеального веса;

— методическое руководство по восстановлению обмена веществ;

— гомеопатический комплекс «Березка» для восстановления обмена веществ;

— аудиокассета со специальным психологическим тренингом.

6. Программа «Трезвость»

> Запрет вина — закон, считающийся с тем,
> Кем пьется, и когда, и много ли, и с кем...

Одни люди равнодушно относятся к алкоголю, а для других вино — это источник забвения, способ уйти от проблем сегодняшней непростой жизни, хотя бы на время почувствовать себя спокойным и счастливым.

Следовательно, алкоголизм — это не просто физическая зависимость человека от спиртного, а прежде всего — болезнь души, отсутствие цели и радости в жизни.

Доктор Синельников приглашает на лечение всех, кто хочет решить свои душевные проблемы, обрести внутренний контроль в отношении спиртного, то есть получить выбор: или не употреблять спиртное совсем, или знать свою меру.

Для овладения методом доктора Синельникова нужно пройти несколько сеансов-занятий. **Обязательное условие —** личное желание больного и твердое намерение вести трезвый образ жизни.

Метод не имеет отношения к кодированию, без страхов и побочных последствий.

Внимание! Проводятся индивидуальные и коллективные консультации и сеансы с матерями, женами и родственниками пьющих людей. Изучив специальные психологические методики, вы сможете помочь своим близким сформировать потребность в трезвом образе жизни.

Доктор Синельников помогает также избавиться от табачной зависимости

В программу входит:

— методическое руководство с занятиями по программе «Трезвость»;

135

— гомеопатический комплекс «Глоток радости» для очищения организма от алкогольных метаболитов, восстановления обмена веществ и уменьшения тяги к спиртному;

— аудиокассета «Глоток радости» со специальным психологическим тренингом.

7. Гомеопатический комплекс «Самсон»

Препарат «Самсон» состоит из гомеопатических средств растительного и минерального происхождения и предназначен для улучшения обмена веществ и укрепления волос.

Внимание! Новый жанр

ПСИХОЛОГИЧЕСКИЕ ТРЕНИНГИ ДОКТОРА СИНЕЛЬНИКОВА

На аудиокассетах и CD

Вы включаете магнитофон и слышите прекрасную музыку, звуки живой природы и спокойный голос доктора, обращенный к вам. Постепенно вы погружаетесь в состояние приятного душевного и физического комфорта. И незаметно для вас в вашем подсознании начинается внутренняя работа. Но какая именно — никто, кроме вас, не узнает. Ведь у каждого свой жизненный путь. И, проходя его заново в своих воспоминаниях и воображении, вы сможете по-новому взглянуть на знакомые вещи, на многие события своей жизни и понять для себя что-то важное.

Кассеты и диски с психологическими тренингами доктора Синельникова предназначены для широкого круга людей. Они помогают решить многие психологические проблемы, способствуют росту творческого потенциала, изменению самооценки и росту работоспособности.

Кроме того, в каждой кассете или диске содержится прекрасная модель, овладев которой вы без труда можете получить доступ к своим собственным подсознательным ресурсам и использовать их в работе и личной жизни.

Как работать с кассетой или диском?

Прослушивание рекомендуется в тихом и спокойном месте. Поза не имеет большого значения. Главное, чтобы вам было удобно.

Все формулы самовнушения в кассете (диске) произносятся в третьем или втором лице. Например: «Вы можете почувствовать, как ваши руки становятся теплыми» или «Волны покоя разливаются по вашему телу». Вам необходимо повторять их про себя от первого лица в виде команды: «Я чувствую, как мои руки становятся теплыми», «Волны покоя разливаются по всему моему телу». Это важно для того, чтобы вы наработали позицию хозяина. Постарайтесь прочувствовать все то, о чем идет речь в кассете (диске).

Во время прослушивания кассеты (диска) может наступить момент, когда вы погрузитесь в состояние транса. Другими словами, вы будете все слышать, но не будете ничего помнить из сказанного. Это очень хороший признак. Работайте с кассетой (диском) от двух до четырех недель каждый день или через день, пока у вас не появится автоматический навык. В дальнейшем — по мере необходимости.

Кассета (диск) 1

«Для глубокой релаксации тела и сознания»

А. Психотренинг для глубокой релаксации тела и сознания.

В жизни каждого человека бывают моменты, когда накапливается усталость и напряжение достигает критической точки. А неумение расслабляться физически и психически — это одна из основных причин проблем со здоровьем. Психотренинг доктора Синельникова поможет вам достичь глубокого расслабления и избавиться от внутренних блоков в вашем теле и сознании.

Расположитесь удобно. Доверьтесь музыке, звукам живой природы и голосу доктора. Максимально расслабьтесь и понаблюдайте за ощущениями в своем теле. Позвольте своим мыслям течь свободно. По мере прослушивания кассеты вы почувствуете, что напряжение постепенно уходит и вы погружаетесь в состояние приятного физического и душевного покоя...

В. Короткий отдых в середине рабочего дня. 15-минутный психотренинг для глубокого расслабления.

Уделите себе всего 15 минут в перерывах между работой — и вы полны сил, энергии и прекрасного настроения.

Кассета (диск) 2

«Мадонна с младенцем»

А. Психологический тренинг для беременных.

В вашей жизни произошло важное событие — вы беременны и ждете ребенка. В этот ответственный период особенно важно быть спокойной, уравновешенной и жить в гармонии с окружающим миром. Но наряду с положительными эмоциями могут появиться сомнения, страхи, тревоги. Психотренинг доктора Синельникова поможет вам достичь глубокого расслабления и избавиться от негативных мыслей и эмоций.

Расположитесь удобно. Максимально расслабьтесь и понаблюдайте за ощущениями в своем теле. Позвольте своим мыслям течь свободно. Доверьтесь музыке, звукам живой природы и грамотному слову доктора. И весь период беременности вы будете чувствовать себя легко и спокойно, а роды пройдут благоприятно для вас и вашего малыша.

В. Музыка для глубокой релаксации и звуки живой природы.

Кассета (диск) 3

«Линия жизни»
А. Полет над линией жизни.

Остановитесь на мгновение. Посмотрите вокруг. Какой огромный мир, какой простор. Ощутите свою свободу, свою способность перемещаться куда угодно...

Вместе с доктором вы совершите захватывающее путешествие в свое прошлое и получите возможность изменить отношение ко многим неприятным событиям своей жизни. Вы получите уникальный опыт, который научитесь использовать для построения успешного будущего. Всю дорогу вас будет сопровождать прекрасная музыка и грамотное слово доктора.

В. Родник души.

Каждый человек уникален и создан по образу и подобию Бога. Но почему люди забывают об этом и привлекают в свою жизнь боль и страдания? Как обрести душевную гармонию, раскрыть свои внутренние ресурсы?

Путешествуя вместе с доктором по бескрайним просторам Вселенной, вы получите доступ к вечному источнику личной силы, красоты и счастья.

Кассета (диск) 4

«Для тех, кто хочет заснуть и проснуться с улыбкой»
А. Психотренинг для глубокого и здорового сна.

Если вы сильно возбуждены или чем-то озабочены и не можете заснуть, — не спешите пить снотворное или считать овец. Воспользуйтесь психотренингом доктора Синельникова.

Спокойная музыка и исцеляющее слово доктора помогут вам расслабиться, забыть о заботах и тревогах и успешно настроиться на следующий день.

Почувствуйте, как успокаиваются все нервные клетки головного мозга. И вы наполняетесь глубоким и прочным покоем. Ваш организм отдыхает. Все тело успокоилось и погружается в приятный, расслабляющий, исцеляющий, здоровый, глубокий сон...

В. В царстве Морфея.

В царстве Морфея происходит много интересных событий. Фантастические миры меняются один за другим. Но все ли мы помним из наших путешествий?

Путешествуя вместе с доктором, вы получите возможность использовать свои сновидения как активный творческий процесс, для улучшения всех сторон своей жизни.

Кассета (диск) 5

«Музыка для глубокого расслабления и звуки живой природы»

Замечательная музыка и звуки живой природы.

Любые проблемы, неприятности и недомогания отойдут на задний план. Исчезнут тревога и усталость. Вы ощутите удивительный покой и гармонию. Природа и музыка способны исцелить тело и душу.

Кассета (диск) 6

«Настрой на исцеление и оздоровление организма»

Если вы стремитесь к улучшению своего здоровья и своей жизни — тогда этот тренинг для вас. С его помощью вы сформируете в своем сознании программу здоровья и долголетия. Он поможет вам очистить вашу душу от негативных мыслей и эмоций, а тело — от шлаков. Вы закалите свой дух, укрепите силу воли, и ваш организм наполнится новыми силами.

Кассета (диск) 7

«Глоток радости»

Психологический тренинг для избавления от алкогольной и никотиновой зависимости

Раньше дурные привычки властвовали над вами. Но сегодня вы можете избавиться от старых привычек, от старых стереотипов мышления, от всего ненужного и чуждого, что отравляло вашу жизнь. Вы добровольно начали лечение, и в этом залог успеха. Психологический тренинг поможет вам взять на себя ответственность за свою жизнь и судьбу. С его помощью вы сформируете в своем сознании программу здоровья, трезвости и долголетия. Вы закалите свой дух, укрепите силу воли, и ваш организм наполнится новыми силами.

Техническое обеспечение — А. Олейников
Художник — Ю. Лаптев
(www.babanin.com; LYM@babanin.net)

Планируется выпуск других аудиокассет и дисков.

Одни из них будут адресованы тем, кто хотел бы самостоятельно поработать над своими проблемами. Другие — для профессионалов.

Содержание каждой кассеты (диска) защищено авторским правом и может быть использовано только для личных целей. Запись произведена с использованием специальной психологической методики — при копировании эффективность воздействия уменьшается на 80%.

**Заказать специальные программы и тренинги
вы можете любым удобным для вас способом:**

- по телефону: (0652) 297-621 (с 18 до 20 часов)
- по почте: (Обратите внимание! У доктора Синельникова изменился почтовый адрес)
  Синельникову Валерию Владимировичу
  а/я 1592,
  г. Симферополь-34,
  95034, Крым, Украина.
- по электронной почте: V_sinelnikov@mail.ru

Программы и тренинги будут высланы наложенным платежом. Оплатить заказ вы сможете при получении. Цены приведены в условных единицах по курсу НБУ на момент получения заказа. При заявке на три и более программы или тренинга — скидка 5%.

Бланк заказа

Фамилия _____

Имя _____ Отчество _____

Почтовый индекс_____ Область _____

Район_____ Город (село) _____

Улица _____ Дом_____ корпус_____ квартира_____

Телефон_____ факс _____ e-mail _____

Специальные программы

Название программы	Цена наложенным платежом	Количество заказываемых экземпляров
1. Видеотренинг с доктором	10 у. е.	
2. Интерактивный справочник по гомеопатии	10 у. е.	
3. Йога для беременных	10 у. е.	
4. «Очищение и оздоровление организма»	10 у. е.	
5. «Идеальный вес»	10 у. е.	
6. Программа «Трезвость»	10 у. е.	
7. Гомеопатический комплекс «Самсон»	4 у. е.	

Психологические тренинги на аудиокассетах и CD

Название тренинга	Цена наложенным платежом		Количество заказываемых экземпляров	
	кассета	CD	кассета	CD
1. Для глубокой релаксации тела и сознания	3 у. е.	5 у. е.		
2. Мадонна с младенцем	3 у. е.	5 у. е.		
3. Линия жизни	3 у. е.	5 у. е.		
4. Для тех, кто хочет заснуть и проснуться с улыбкой	3 у. е.	5 у. е.		
5. Музыка для глубокого расслабления и звуки живой природы	3 у. е.	5 у. е.		
6. Настрой на исцеление и оздоровление организма	3 у. е.	5 у. е.		
7. Глоток радости	3 у. е.	5 у. е.		

Связаться с доктором Синельниковым вы можете по адресу:

Синельникову Валерию Владимировичу,
а/я 1592,
г. Симферополь-34,
95034, Крым, Украина.
Телефон: (0652) 297-621 (с 18 до 20 часов)
Электронная почта: V_sinelnikov@mail.ru

Синельников Валерий Владимирович

СИЛА НАМЕРЕНИЯ

Ответственный за выпуск *Л.И. Глебовская*
Художественный редактор *И.А. Озеров*
Технический редактор *Л.И. Витушкина*
Ответственный корректор *В.А. Андриянова*

Изд. лиц. ЛР № 065372 от 22.08.97 г.
Подписано в печать с готовых диапозитивов 16.10.2003.
Формат 84×108^1/$_{32}$. Бумага газетная. Гарнитура «Корнелия».
Печать офсетная. Усл. печ. л. 7,56. Уч.-изд. л. 6,48.
Доп. тираж 15 000 экз. Заказ № 4301037

ЗАО «Издательство «Центрполиграф»
111024, Москва, 1-я ул. Энтузиастов, 15
E-MAIL: CNPOL@DOL.RU

WWW.CENTRPOLIGRAF.RU

Отпечатано в ФГУИПП «Нижполиграф»
603006, Нижний Новгород, Варварская ул., 32